Philippe Lestang

APPROCHES

Textes 1997-2008

BoD

Du même auteur :

- Le fait Jésus (Actes Sud 2012)
- Un dossier sur "Puissance de la louange" (BoD 2017)
- Une traduction de la Lettre aux Éphésiens (BoD 2017)
- Le royaume de l'amour (BoD 2017)
- Pré-lectures (BoD 2018)

Site web: http://www.plestang.com

"Textes"

Ce livre regroupe des réflexions et discussions datant de la période 1997-2008, et publiées à l'époque dans plusieurs blogs aujourd'hui disparus.

J'ai remanié certains de ces textes pour tenir compte de mes réflexions ultérieures.

En parallèle j'avais lancé une "liste de discussion" intitulée "*Échanges Chrétiens sur le Net*", dont quelques extraits figurent à la fin de ce livre.

Les textes sont numérotés, pour faciliter la référence.

Vous trouverez à la fin du livre un index détaillé, invitant à d'autres façons de parcourir le livre, ainsi qu'un index des passages bibliques cités et un index des noms propres.

Edition : Books on Demand,
12/14 rond-Point des Champs-Elysées, 75008 Paris
Impression : BoD - Books on Demand, Norderstedt, Allemagne
ISBN : 9782322234646
Dépôt légal : juin 2020

Table des matières

- 1 -

Des millions d'années?

Echange de messages, après le Tsunami de 2004

Cher P. !

Merci pour votre message plein de bon sens qui rejoint tout à fait des questions que je me pose, et qu'il paraît sain de se poser! Et du coup je vous réponds aussitôt!

Objet: "Une question saugrenue"

Je suis préoccupé par une question qui me dérange et que je vais avoir beaucoup de mal à énoncer clairement:

Sommes nous, nous les hommes, au beau milieu (otages!) d'une "guerre" entre Dieu et l'esprit du mal? A-t-Il estimé que nous puissions être d'un quelconque secours?

L'Amour qu'Il nous porte et que Jésus nous a transmis est certainement "la solution", mais quel gâchis! Deux mille ans après nous ne savons pas encore aimer! Il y a des exceptions, elles font la une des médias, mais moi, mon entourage, nous sommes tellement maladroits et pleins de contradictions!

Alors pourquoi sommes nous "dans" cette galère? Il faudra, à ce rythme, des millions d'années! Bien sûr, pour Dieu, une seconde ou mille ans... En attendant la misère grandit, les guerres sont plus atroces et notre petite terre y met du sien pour noyer les enfants ou leurs parents! Que de misère Seigneur!

Cet élan de solidarité, récemment déclenché, est-il Signe? L'aide sera-t-elle de longue durée? Sans être pessimiste je vois bien qu'à la première bavure d'une ONG, au premier détournement d'un malin, il y aura repli sur notre confort!

Ma logique humaine est bien courte certes, mais bien déroutée par ces éléments apparemment contradictoires!

Devant mon clavier je me suis laissé emporter plus loin qu'une petite question "saugrenue", mais j'envoie l'ensemble et serais heureux que vous ayez le temps d'y répondre. Merci!

Et que le Seigneur nous éclaire!"

Oui, quelle difficulté, et aussi, comme vous le dites, quel gâchis! Il m'arrive de pleurer en pensant que dès l'époque des Psaumes, un certain nombre de clefs spirituelles essentielles avaient été repérées, et que nous en sommes toujours aussi bas: que le christianisme (le judéo-christianisme) a si peu influencé apparemment l'histoire et le comportement des hommes, et des chrétiens en particulier; que nous sommes si loin d'un comportement évangélique.

Le Père Gilbert Duval-Arnould avait, vers 1995, fait une conférence[1] qui est, en ce qui concerne le problème du mal, ce que je connais de meilleur: Jésus, explique-t-il, ne nous a pas dit pourquoi il y a le mal; il nous a seulement donné la voie pour agir personnellement, pour avancer en ce qui nous concerne.

Pourquoi nous sommes dans cette situation: je retournerais volontiers le problème, en faisant exprès, un instant, d'oublier la révélation et de me contenter de voir le monde d'un point de vue purement humain (ou scientifique): il y a passage progressif, pour l'humanité, de l'animalité à un nouvel état, qui pour l'instant n'exclut nullement la violence; mais à l'échelle des millénaires, et si nous n'avons pas cassé notre terre avant, il y a peut-être, sinon "progrès", du moins assurément évolution.

Comme je l'ai dit plus haut, ce que Jésus nous propose, c'est un chemin d'amour personnel; il ne nous dit pas pourquoi le monde

---

[1] https://web.archive.org/web/20191023223419/http://plestang.free.fr/duval.pdf

est dans cet état. Cela dépasse peut-être complètement notre compréhension.

Deux hypothèses majeures viennent à l'esprit:

- soit en effet, comme vous le dites, il y a un combat supérieur; nous sommes dans une barque, sur des flots agités par des puissances qui se combattent. Il est important alors de noter que Dieu ne se montre pas le "tout puissant", expression qui passe mal à notre époque, mais le "très bas" (Christian Bobin), le tout amour, qui meurt avec nous.

- soit il s'agit "simplement" d'une loi de croissance, qui fait passer le monde de la matière vers le spirituel, avec tous les soubresauts qui accompagnent ce passage; et ce n'est qu'après la mort que nous comprendrons le sens des souffrances et des malheurs. L'homme moderne se révolte volontiers contre cette hypothèse. Je reconnais qu'elle est un peu courte, et que jamais il n'est possible de la présenter à quelqu'un qui souffre!

Donc, ce qu'il en est du monde, nous ne pouvons le dire; mais pour chacun de nous, Jésus ouvre une voie d'amour et de paix intérieure, et c'est "quand même" fondamental! La croissance intérieure du royaume en nous n'a pas de limites, nous pouvons rayonner de louange et de charité; vivre confiants parce que l'amour de Dieu est devenu une réalité dans notre vie. Et, comme le dit Jésus à Pierre dans le dernier chapitre de l'évangile de Jean, accepter que Jésus nous dise: "Que t'importe! Toi, suis-moi!", c'est à dire: "En ce qui te concerne, vis selon mon amour, et ne cherche pas à tout comprendre".

Il faudra, dites-vous, des millions d'années. Personnellement je ne vois pas l'histoire de la terre comme devant se prolonger forcément longtemps: je la vois un peu comme une planète quelconque dans une galaxie quelconque, qui mourra d'une mort banale (ou par suite d'une guerre) dans n années (n compris entre, mettons, 50 et 500 000...). Elle mourra comme chacun de nous meurt. Je ne crois pas du tout - en tout cas je ne base pas du tout ma réflexion - sur l'hypothèse optimiste d'une montée vers le royaume *sur terre*: il y a là je crains un malentendu, une continuation de l'espérance - erronée - de l'ancien peuple juif: "Est-ce maintenant que tu vas rétablir le royaume?". Teilhard était me semble-t-il dans cette ligne, qui me paraît fort hasardeuse.

Mais l'existence continue après la mort: c'est une des idées force que nous apporte le "fait Jésus". Et dès lors, comme nous savons très peu, voire rien du tout, sur cet au-delà, il faut se contenter de vivre (d'essayer de vivre) comme Jésus nous le propose: dans la louange et la charité...

Au plaisir de vous lire,
Fraternellement en Christ

PL

Vivre ensemble

- 2 -

Edgar Morin...

Je connaissais bien sûr le nom d'Edgar Morin, et j'avais feuilleté à l'occasion un de ses livres en librairie; leurs titres à vrai dire m'effrayaient: "La nature de la nature", "L'humanité de l'humanité"...

Un jour j'ai assisté à la Défense à une conférence qu'il donnait, aux "Semaines sociales". Quelle clarté, quelle pensée qui va droit à l'essentiel! Voilà, ai-je dit à ma femme Catherine en rentrant, quelqu'un qui a tout compris! Je veux dire, quels sont les problèmes essentiels - à savoir, à la fois, la nécessité: d'une approche systémique et interdisciplinaire des problèmes; d'une prise de conscience de ce que notre connaissance comprend des erreurs; etc. Il aimerait que soit créé dans chaque université une sorte "d'Institut de culture fondamentale" qui réfléchirait notamment sur la connaissance et ses limites.

Son petit livre "Les sept savoirs nécessaires à l'éducation du futur" (Seuil 2000) résume clairement ce que sont les priorités pour notre monde: enseigner, aux étudiants d'abord puis peu à peu aux élèves des collèges puis des écoles ce que sont: "les cécités de notre connaissance"; "la condition humaine"; "l'identité terrienne"; "affronter l'incertitude"; et "enseigner la compréhension" (de l'autre) - ce qui rejoint clairement un souci des chrétiens.

Problème: il prêche dans le désert: tant aux Semaines sociales où visiblement une partie des participants n'a rien compris; que de même quand il s'adresse aux gouvernants, puisqu'il indique dans un de ses livres qu'aucune des propositions qu'il avait été chargé de faire à un ministre de l'éducation nationale il y a quelques années n'a été retenue.

Et pendant ce temps là nous roulons vers l'abîme...

- 3 -

Du terrorisme intellectuel à la recherche de la nuance

Nos sociétés vivent souvent sous le régime du terrorisme intellectuel: il y a les opinions admises, et celles qui n'ont pas le droit d'être énoncées; ceci sur toutes sortes de sujets, variables selon les pays et les moments.

Il faut, à la télévision par exemple, que celui qui énonce une idée "non convenable" ait une stature très forte, ou encore une situation de minorité étiquetée comme telle, pour qu'il puisse s'exprimer; et encore, gare à lui s'il n'a pas une assurance suffisante!

Par crainte, que sais-je, du racisme, de l'homophobie, voire de la non reconnaissance des minorités, on ne peut pas énoncer d'affirmations qui sortent des idées "imposées", ni vraiment débattre. Gare au noir "qui n'aime pas le manioc" et dont on dira qu'il est "noir à l'extérieur et blanc à l'intérieur"; gare à celui qui dira qu'à son avis l'homosexualité n'est pas un comportement équivalent à l'hétérosexualité; à celui qui critiquera la loi de 1905 sur la séparation des églises et de l'état, etc.

Comme l'écrit Edgar Morin évoqué ci-dessus, il est important d'enseigner "l'éthique de la compréhension, (..) art de vivre qui nous demande (..) de comprendre de façon désintéressée (..), d'argumenter, de réfuter; au lieu d'excommunier et d'anathémiser".

J'ajouterai qu'il s'agit d'apprendre à affiner nos idées. Si face à moi quelqu'un dit par exemple que "Les jaunes sont supérieurs aux blancs" (exemple plus politiquement acceptable que celui où l'on écrirait "noir" à la place de jaune...), ce qui est en cause ici, c'est une généralisation abusive, la création d'une catégorie simplificatrice, "les blancs", et d'une autre catégorie, "les jaunes".

La recherche de la nuance, c'est le remplacement de phrases trop absolues par des affirmations plus fines, et même si possible énoncées sous la forme d'une question, telle que: "N'y a-t-il pas des différences, dont il faudrait étudier la nature et éventuellement les raisons, entre un certain nombre de blancs et un certain nombre de jaunes?"

On imagine qu'une phrase de ce type ne serait pas évidente à faire passer dans une émission de télévision, sauf sans doute dans celles, si elles existent, où l'on cherche vraiment à réfléchir, et non à affirmer des ressentis et des passions.

- 4 -

Bernard Werber et les accords toltèques

Dans son livre “Le souffle des dieux”, Bernard Werber imagine que des “élèves dieux” sont chargés d’influencer, par des songes etc., les habitants d’une planète, pour les pousser à progresser. Le livre, un peu longuet parfois, est intéressant. Et peut-être est-ce ainsi après tout qu’agissent les anges !

Si j’en parle ici, c’est parce qu’en page 141, Bernard Werber reprend un texte que l’on trouve facilement sur le web, “Les quatre accords toltèques” de Don Miguel Ruiz, en y apportant quelques modifications; ce sont des propositions qui méritent d'être mieux connues.

Il s’agit de conseils, d’une sorte de code de conduite pour vivre en harmonie; voici en résumé ce que cela donne:

- “Que votre parole soit impeccable”: ne dites que ce que vous pensez vraiment; n’utilisez pas la parole contre vous-même ni pour médire d’autrui.

- “Ne réagissez à rien de façon personnelle”: ce que disent les autres sur vous, et font contre vous, c’est la projection de leurs peurs, de leurs problèmes. Exemple: si quelqu’un vous insulte, c’est son problème, pas le vôtre.

- “Ne faites aucune supposition”: ne commencez pas à élaborer des hypothèses négatives face à quelque chose d’inattendu (exemple: quelqu’un est absent..); ne vous convainquez pas vous-même de vos propres peurs.

- “Faites de votre mieux”: tentez, entreprenez, mais si vous échouez ne vous culpabilisez pas et n’éprouvez pas de regrets.

Il me semble qu’il y a là des règles de vie assez utiles.

- 5 -

Qualités nécessaires pour diriger une communauté...

Supposons une communauté religieuse assez nombreuse, qui doit choisir son responsable. Quelles sont les dimensions de la personnalité à prendre en considération, les “qualités” requises?

(J’écris ceci après une discussion avec un ami sur les difficultés de certaines communautés après le départ de leur fondateur...).

Il faut semble-t-il d’abord qu’il soit en bons termes avec ses frères: considéré comme un ami, pas comme quelqu’un d’insupportable...

Il faut aussi, si la communauté a d’importantes relations internationales, que ce soit quelqu’un d’assez fin et diplomate, à l’aise avec des responsables de tout niveau...

Par rapport à tous ceux dont il aura à être le supérieur, il est souhaitable qu’il n’ait pas tendance à être cassant, autoritaire; et qu’il ait le souci du dialogue...

Il vaudrait mieux évidemment qu’il soit intelligent, et que sa doctrine soit sûre...

Enfin, pour en venir aux qualités directement liées aux fonctions, outre de réelles qualités spirituelles, il est nécessaire qu’il ait un bon équilibre psychologique personnel.

Et qu’il se sente à l’aise dans ses responsabilités, et non tendu et fatigué par elles...

Bible

Pas au pied de la lettre...
"Péché originel"
Le déluge a existé. Et l'Eden?
Moïse et David ont-ils existé?
"Christ the Lord": étonnant
Joseph Davidovits; Michel Serres
Bref plan pour un enseignement biblique
A propos de la bible hébraïque
Colère de Dieu

- 6 -
Pas au pied de la lettre...

Le texte de la Bible n'est pas nécessairement à prendre au pied de la lettre. La plupart des chrétiens le savent. Et voici un cas où c'est Jésus lui-même qui le dit!

En Matthieu 11:14, à propos de Jean-Baptiste, il affirme:

"C'est lui, si vous voulez bien comprendre, l'Elie qui doit revenir".

Les juifs de l'époque pensaient qu'Elie reviendrait avant le Messie; c'est ce qu'affirme ce passage du prophète Malachie (3:23):

"Voici que je vais vous envoyer Elie, le prophète, avant que ne vienne le jour du Seigneur, jour grand et redoutable."

Ce n'est pas Elie qui est revenu; c'est Jean-Baptiste, affirme Jésus à ceux qui "veulent bien comprendre", qui en tient lieu.

Jésus nous montre que ce que disent les prophètes demande interprétation; n'est pas à prendre au pied de la lettre.

- 7 -

"Péché originel"

Personnellement je crois à un péché “originel”, qui n’est pas un événement du passé mais la situation de tout homme. Mais je viens de comprendre pourquoi beaucoup de prêtres continuent à parler du péché “des origines”:

Il y a une phrase de la Genèse qui dit que l’homme a été créé “à l’image de Dieu et à sa ressemblance” (Gn 1,26).

“*Donc*, nous a dit en substance le prêtre ce midi, *si au commencement l’homme ressemblait à Dieu, comme ce n’est plus le cas, c’est qu’il s’est passé quelque chose entre temps !*”

Je suis surpris de cette interprétation littérale de Gn 1,26.

Je pense qu’à toute époque l’homme est à l’image de Dieu, mais *en devenir*: nous sommes appelés à devenir semblables au Christ. L’homme de l’ancien testament était déjà “de sa race” (Actes 17,28). “J’ai dit, vous êtes des dieux” (psaume 82/81 v.6, cité par Jésus en Jn 10,34).

C’est toujours la même chose: il ne faut pas partir d’une phrase de l’écriture, mais de l’ensemble de la révélation: nous montons vers Dieu, et c’est beau.

- 8 -

Le déluge a existé. Et l'Eden?

Divers travaux scientifiques, anciens ou récents, ont conclu à l'existence dans un passé lointain de grandes inondations, que l'on repère dans les couches géologiques. Une étude vient d'affirmer que l'ouverture du Bosphore aurait fait monter le niveau de la mer noire de 150 mètres. Donc les traditions anciennes qui parlent d'un déluge, la Bible notamment, s'inspirent sans doute de faits réels. En outre un personnage analogue à Noé existe dans d'autres traditions. La Bible utilise ces faits à l'appui d'un message moral et religieux.

On peut, du coup, se poser la même question pour l'Eden; le lecteur attentif de la Bible aura remarqué qu'il y a des hommes à l'extérieur de l'Eden (Gn 4,13 et suivants). Plusieurs traditions non bibliques mentionnent soit un “âge d'or”, soit un continent merveilleux englouti (associant dans ce cas l'Eden et le déluge). Donc il y a peut-être une réalité derrière ce fameux jardin d'Eden... Une civilisation supérieure ancienne?

Mais accepter cette idée n'implique pas que l'homme de cet Eden ait été dans un état d'harmonie complète avec Dieu.

Cela dit, quel est le sens du salut apporté à l'humanité par le peuple juif puis par Jésus?

Nous avons besoin de salut, c'est à dire de trouver la voie qui donne un sens à notre vie. Je développe cette idée dans mon livre "Le fait Jésus"“[2].

Jésus nous ouvre la voie vers la divinisation. Il nous libère de nos enfermements: il nous en sauve!

---

[2] Voir le livre "Le fait Jésus", pp. 33 et suivantes.

Il ne nous “relève” pas, il nous élève.

“*Il portait les péchés des multitudes*” écrit Isaïe (53,12); “*pour les pécheurs, il vient s’interposer*”. Dire que Jésus a porté nos péchés, c’est pour moi dire qu’il nous porte tous! Il nous porte, nous soulève, nous entraîne vers le Père. Et en même temps il nous montre ce qu’est le chemin de l’amour: par la croix.

“Enlève-t-il” nos péchés? Il ouvre la porte pour que peu à peu ceux-ci soient enlevés par l’action de l’Esprit en nous.

- 9 -

Moïse et David ont-ils existé?

Des amis me disaient combien ils avaient été surpris d'entendre un rabbin - tout ce qu'il y a de plus traditionnel - affirmer qu'il n'était pas sûr du tout que les Israélites aient jamais été en Egypte: "- Mais alors, la Pâque, événement fondateur, que devient-elle?".

De même, un autre ami, qui se prépare au diaconat, a entendu dire au cours de sa formation que l'existence de David n'était pas du tout certaine...

Vieux débat, débat de spécialistes pour une part.

D'un côté il y a ceux qui s'en tiennent aux "pierres" (certains archéologues), ou aux "écrits " (certains exégètes), et qui disent ne rien pouvoir affirmer sur tout ce qui n'a pas laissé de trace assez ancienne.

De l'autre il y a des tenants de la tradition orale, et au moins un archéologue (Davidovits, voir chapitre 11 ci-après).

Une opinion souvent émise est que l'Exode s'est fait par groupes relativement petits.

Les "plaies d'Egypte", comme les manifestations au Sinaï, sont la trace que la mémoire collective a gardée, en utilisant les genres littéraires de l'époque, d'événements où le peuple a vraiment vu la main de Dieu, et a cru.

Les chrétiens partagent cette conviction que Dieu existe vraiment (!) et qu'il s'est révélé au peuple juif, progressivement et suivant des modes dont seule la tradition nous a gardé le souvenir.

David et Salomon de même n'ont peut-être pas été le grand conquérant et le grand roi que la Bible nous rapporte; mais à travers leur histoire, c'est de même la conviction de l'action de Dieu au sein d'Israël qui est transmise.

- 10 -

“Christ the Lord”: étonnant

“Ce qu’il faut que je sache, je le sais". C’est Jésus qui parle ainsi, au début du deuxième livre d’Anne Rice sur Jésus: “The Road to Cana”.

Il parle à la première personne, et j’aime beaucoup cette affirmation: “Ce qu’il faut que je sache, je le sais; et ce qu’il faut que j’apprenne, je l’apprends“.

J’y vois la meilleure réflexion que j’aie jamais lu sur la psychologie de Jésus, et sur sa relation avec son Père: sur ce que Jésus sait ou ignore.

Cela peut vouloir dire aussi: “Ce que je n’ai pas besoin de savoir, je ne le sais pas!” Cela peut s’appliquer notamment à la passion...

Il m’est arrivé d’écrire sur cette question, et j’argumentais en termes de sainteté très haute de Jésus, l’amenant à connaître et à comprendre ce que l’homme moyen ne comprend pas.

Anne Rice propose une approche où le Père intervient davantage: “Ce qu’il faut que je sache, je le sais”! Je trouve cela génial.

Dans le premier tome, “Out of Egypt”, la vie de Jésus enfant est rcontée, à la première personne, de la sortie d’Egypte au premier pélerinage à Jérusalem. Une sorte de journal autobiographique!

Riche en détails bien vus, le livre nous montre Jésus découvrant peu à peu qui il est, et le situe dans son environnement; avec Joseph et Marie bien sûr, décrits de façon nuancée, et le contexte de la Palestine à cette époque.

Ces deux livres, en anglais, sont très enrichissants, inspirés pourrait-on dire. J'y retrouve - dans un genre différent - la subtilité des descriptions d'une Maria Valtorta.

L'auteur, après de nombreuses années d'athéisme et la publication de romans d'un genre bien différent (vampires etc. !), était devenue catholique... Mais elle a ensuite pris ses distances, et n'a jamais - ou pas encore! - écrit les tomes suivants.

- 11 -
Joseph Davidovits; Michel Serres

Joseph Davidovits, ingénieur devenu égyptologue, a publié notamment un livre en deux tomes intitulé "La Bible avait raison" (Ed. Jean-Cyrille Godefroy).

L'auteur y poursuit ses analyses - déjà évoquées dans ses livres précédents - sur l'histoire du peuple juif, en Egypte et après son installation en Israël. Toujours basée sur l'hypothèse d'une technique de la pierre agglomérée utilisée par Joseph et ses descendants, l'analyse, très fouillée, mérite lecture. Par exemple en ce qui concerne l'Exode: si les juifs ont pu, en plusieurs vagues, voyager vers Israël sans problème, c'est parce qu'ils étaient considérés comme des Egyptiens, d'un clan particulier.

Les hypothèses égyptologiques et archéologiques de ce livre - qui rejoignent pour une part ce qu'écrit Finkelstein dans son célèbre livre "La Bible dévoilée" - seront peut-être écartées d'un revers de main par les "scientifiques" des diverses spécialités; on aimerait pourtant un débat ouvert, car pour un semi-profane comme moi, ce que dit Joseph Davidovits est assez passionnant.

C'est ici que je rejoins une intéressante chronique de Michel Serres entendue récemment sur France-Info: "débattre", disait-il, signifie le plus souvent combattre, jouer un rôle, représenter une opinion, et presque jamais accepter de reconnaître ce qu'il y a de vrai ou de possible dans la position de l'autre. Alors que sur la plupart des sujets c'est bien l'incertitude qui devrait être reconnue.

Ceci pour les "scientifiques" de tout poil, dont l'absence de recul critique me désole souvent; ils savent, ou croient savoir: qu'il s'agisse d'exégèse, d'archéologie, etc.

- 12 -

Éléments pour un enseignement biblique

Il est possible que je sois invité de temps à autre à faire un “enseignement” devant un groupe chrétien. J’esquisse ici ce que peut être la structure d’un tel enseignement, portant sur un passage de la Bible.

Deux parties: la première sur les aspects en quelque sorte “techniques” du texte; la deuxième plus spirituelle.

L’un des buts de la première partie est de montrer aux auditeurs comment procéder eux-mêmes quand ils étudient un texte. Il faut notamment:

- regarder ce qui vient avant le passage étudié et ce qui vient après;
- regarder quels mots sont répétés dans le passage, ou encore sont remarquables;
- regarder quels mots ou expressions se retrouvent ailleurs dans la Bible.
- le cas échéant regarder les différences entre le texte étudié et ses parallèles dans d’autres évangiles.

Cette étude technique peut être précédée si nécessaire par une partie concernant l’auteur du livre biblique considéré, son contexte, etc.

Ainsi par exemple l’évangile de Matthieu 7,21 à 27 - “Jamais je ne vous ai connus” et "maison sur le roc" - vient à la fin du discours sur la montagne; il comprend des phrases analogues à l’épisode des vierges folles; et il peut-être l’occasion d’une réflexion sur la volonté du Père (y.c. l'agonie); ainsi que sur le "roc" (quels sont nos rocs, dans notre vie spirituelle).

Une autre façon de repérer des idées importantes dans un texte biblique est en quelque sorte de créer une liste de mots-clef du texte, de "tags", comme on le fait sur un blog.

Autre méthode utile: "fermer le texte" et le réécrire de mémoire: on voit vite quels mots du texte on n'avait pas bien retenus...

Il est bon naturellement de consulter les notes des diverses bibles (y.c. par exemple la "Bible expliquée"), ainsi que les commentaires des ouvrages généraux. Et de comparer les diverses traductions.

- 13 -

A propos de la bible hébraïque

Un bref billet à propos de la *liste des livres admis* dans la bible hébraïque, suite à deux conférences du rabbin Serfaty.

On sait que cette liste a été fixée par les autorités pharisiennes à la fin du premier siècle de notre ère. En ont été écartés les livres que nous appelons “deutérocanoniques” (les Maccabées, Baruch etc.).

Ce n’était pas seulement une question de langue: en effet le premier livre des Maccabées était disponible en hébreu, et de même par exemple le Siracide.

Le Siracide, bien que non retenu, a continué à être cité par le judaïsme rabbinique jusqu’au 12° siècle. Il était regardé, dit la TOB, comme utile à l’édification des croyants. Au XX° siècle on considérait son texte hébreu comme perdu... jusqu’à ce qu’il soit retrouvé dans les grottes de Qumrân.

Le premier livre des Maccabées est un exemple des raisons qui ont guidé les choix des docteurs juifs: il n’a pas été retenu, explique le rabbin Serfaty, parce qu’il parle de la dynastie hasmonéenne, qui ne descendait pas du roi David...

- 14 -

Colère de Dieu

Dans le groupe Bible que nous animons Catherine et moi, la discussion a notamment porté, à une réunion, sur la colère de Dieu dans le premier testament; avec des questions du genre: “La colère n’est-elle pas un péché capital?”...

Les rédacteurs de la Bible ont interprété les événements en terme de colère de Dieu; il était nécessaire pour le progrès spirituel du peuple juif de lui faire comprendre que les actes ont des conséquences; que se détourner de la loi de Dieu entraîne des malheurs.

Catherine vient de trouver une façon très claire d’énoncer la chose: c’est un peu comme si Dieu disait:

“Vous ne vous occupez pas de moi? Alors moi je ne m’occupe pas de vous non plus; je laisse la violence du monde s’exercer contre vous.”

———

Foi chrétienne

Qu'est-ce qu'un "fait"?
Raison, mystère de Dieu, foi
Le Père, le Fils ...
Résurrection finale?
Amour, joie ...
Linceul de Turin, etc.
La foi, c'est l'espérance?
"Croyances"

- 15 -

Qu’est-ce qu’un “fait”?

J’emploie, notamment dans le titre d'un de mes livres, l’expression “le fait Jésus”; je dis aussi parfois: "le fait que constitue la résurrection de Jésus”. Certains interlocuteurs tiquent, considérant qu’on n’est pas ici dans le domaine des faits, mais dans celui de la foi... Voyons cela.

Le “Vocabulaire de la philosophie” d’André Lalande, qui reprend les travaux de la Société française de philosophie, donne la définition suivante: “Fait: Ce qui est ou ce qui arrive, en tant qu’on le tient pour une donnée réelle de l’expérience, sur laquelle la pensée peut faire fond”.

Les mots-clefs dans cette définition sont assurément “on le tient pour” !

Tant il est vrai que la perception et les convictions jouent un rôle dans ce que l’on accepte comme étant vrai, comme ayant une existence. Ainsi dans le domaine du nazisme il y a, on le sait, des “négationnistes”.

Galilée, et sans doute aussi aussi Christophe Colomb, ont affronté des gens qui ne croyaient pas qu’ils décrivaient des faits.

Pour certains faits, il faut s’en remettre au témoignage de tiers: par exemple même si je n’ai pas vu un accident, je peux être certain qu’il a eu lieu (c’est un fait pour moi), en raison des personnes qui m’en ont parlé.

“La notion de fait, ajoute le Lalande, quand on la précise, se ramène à un jugement d’affirmation sur la réalité extérieure“.

L'existence de Jésus est maintenant généralement admise. Les grandes lignes de sa vie, et son enseignement tel que décrit par le Nouveau Testament, sont généralement acceptés comme des faits.

Pour un croyant, ce qu'a été Jésus comprend aussi l'affirmation de sa divinité: avec les apôtres, les chrétiens sont convaincus que Jésus s'est bien présenté comme le Fils de Dieu. C'est donc pour eux un fait que Jésus a affirmé cela.

C'est tout cet ensemble que j'appelle le fait Jésus: un fait dont le non croyant n'accepte qu'une partie, mais qui pour moi est avéré.

Il en va de même pour la résurrection. Je crois que c'est un fait, c'est à dire qu'elle a bien eu lieu.

- 16 -

Raison, mystère de Dieu, foi

Le Catéchisme de l'Église catholique estime (paragraphes 35 et suivants) que si l'homme n'avait pas la capacité de conclure à l'existence de Dieu, il ne pourrait pas accueillir la révélation.

Il dit aussi que "les hommes se persuadent facilement de la fausseté ou du moins de l'incertitude des choses dont ils ne voudraient pas qu'elles soient vraies"; et donc que l'homme a besoin d'être éclairé par la révélation de Dieu, même sur "les vérités religieuses et morales qui, de soi, ne sont pas inaccessibles à la raison".

Cela dit, le texte divise le réel en deux catégories: "ce qui de soi n'est pas inaccessible à la raison" (cf. ci-dessus), et *"ce qui dépasse l'entendement de l'homme et lui est connu par la révélation"*.

Est-ce vraiment ainsi que le problème se pose? Le fait que Jésus soit amour au point de mourir sur la croix dépasse-t-il l'entendement de l'homme? Je ne le crois pas; et pourtant ce n'était évidemment accessible que par la révélation, c'est à dire par la venue de Jésus qui nous a "montré" (!) cela.

Et si on l'accepte, ou non, ce n'est pas une question *d'entendement*, mais d'ouverture du coeur.

Par l'entendement, nous comprenons *les faits* de la révélation.

Et si les "mystères" tels celui de la Trinité dépassent effectivement l'entendement de l'homme, ils ne le dépassent pas totalement, sinon on ne pourrait même pas en parler...

En ce qui concerne d'autre part les relations entre foi et raison, le catéchisme semble affirmer que *la foi est nécessaire, et non la simple raison, pour accepter la révélation.*

Cette opposition foi-raison diffère sensiblement de ce qui est retenu me semble-t-il par Bernard Sesboüé dans son livre “Croire”, et de ce que je propose de mon côté[3].

Tout, dans la vie, est objet de convictions et de confiance; la foi, à son premier stade (”je crois que Jésus est l’envoyé de Dieu” etc.), n’est que l’application de cette confiance à un domaine particulier.

Ensuite, la foi comme relation personnelle avec Dieu, est évidemment d’une autre nature. Comme toute relation d’amour.

---

[3] Mon livre "Le fait Jésus".

- 17 -

Le Père, le Fils ...

Quand je trace lentement le signe de la croix, et que je dis le mot "Père", ce n'est pas à un père "qui est aux cieux" auquel je pense: c'est à **la totalité de la réalité, qui m'englobe et dont je fais partie**.

C'est Dieu qui est "le tout", et qui est amour. Du moins telle est ma conviction. D'un point de vue "scientifique" je reconnais qu'on n'en sait rien.

Quant à l'expression "au nom de..", elle pourrait être remplacée par tout autre chose, par exemple: "*Je me tourne vers Toi, Seigneur Dieu, toi qui es Père, Fils, et Saint-Esprit*".

Le Fils...: il est à la fois cet homme 'que nous avons vu' (que les hommes ont vu, et continuent à contempler), et celui que nous rencontrerons après notre mort.

Je ne dirai pas, comme on l'entend régulièrement, et même si l'expression est forte, qu'il y a "un homme dans la Trinité"[4]: Jésus est, et continuera à être après notre mort, **"ce que nous pouvons voir de Dieu sous la forme d'un homme"**.

La relation à Jésus n'épuise pas notre relation à Dieu. Mais penser au Fils, c'est penser à Dieu qui me parle sous la forme d'un homme, comme à un ami.

On me dira: le Fils est aussi présent dans l'Eucharistie: vrai, mais pas sous la forme d'un homme! Pour moi c'est Dieu qui est présent dans l'Eucharistie. De toute façon, Jésus et Dieu c'est tout un. J'ai

---

[4] Ou même, pire, que "*depuis l'Ascension du Christ*" il y a un homme dans la Trinité... Comme si l'éternité, le "calendrier de l'au-delà" en somme, était basée sur ce qui se passe sur terre.

écrit quelque part que ce “très bas”, mourant sur la croix, c’est aussi l’image de Dieu le Père, qui est tout humilité, tout souffrance peut-être, et que nous serons sans doute bien surpris après la mort.

L’Eucharistie c’est Dieu qui est partage. Amour qui se donne.

- 18 -

Résurrection finale?

Mort, résurrection: d'un côté la plupart des chrétiens disent, avec le Credo, qu'il y aura "*un jour*" une résurrection ("de la chair").

De l'autre beaucoup considèrent qu'en fait au moment de la mort, comme le dit une phrase célèbre de la liturgie, "vita mutatur, non tollitur", c'est à dire que la vie change, mais n'est pas enlevée; ce que les NDE[5] semblent montrer aussi.

Cette vie après la mort révélée par les NDE ne semble pas être une vie diminuée, sous prétexte qu'elle serait sans "corps"; elle ne semble pas être sans activité.

Beaucoup sont d'accord que la *chair* dont parle le Credo, ce sont nos sentiments, notre personnalité: et il est fort possible, si on en croit les NDE ou autres témoignages, que cela demeure après la mort.

Nul besoin dans ce cas d'une "résurrection des corps": la vie aussitôt après la mort comprend déjà l'équivalent du corps.

Sans doute veut-on aussi évoquer, à travers cette *résurrection finale*, la "victoire définitive du Christ sur le mal"; mais ceci, me semble-t-il, nous dépasse complètement: on est alors à une échelle cosmique qui est "au delà" ... de ce que nous pouvons comprendre...

Par ailleurs la mort est souvent présentée comme un "repos", voire un "repos éternel". Cette image a ses limites! Elle peut satisfaire ceux qui aspirent à un tel repos; mais pourquoi la "vie d'après" ne serait-elle pas elle aussi pleine d'activités?

Peut-être même l'au-delà comprend-il lui aussi ses forces du mal, et ses enjeux de vie et de mort spirituels.

---

[5] "Expériences aux frontières de la mort".

- 19 -

Amour, joie...

Le mot “amour” a plusieurs sens... C’est banal, et les chrétiens en ont évidemment conscience.

L’idée que beaucoup de gens ont en tête en ce qui concerne ce mot est assez bien exprimée par ce texte d’Edgar Morin ("Les sept savoirs”, p. 62):

“L’homme (...) est aussi (homme) de la poésie, c’est à dire de la ferveur, de la participation, de l’amour, de l’extase.

L’amour est poésie. Un amour naissant inonde le monde de poésie, un amour qui dure irrigue de poésie la vie quotidienne, la fin d’un amour nous rejette dans la prose.”

Il y a des points communs importants entre ce qui est dit ci-dessus et l’amour de Dieu, tel que les chrétiens essaient de le vivre.

Mais quand on parle “d’amour des ennemis”, quand on dit que Jésus est allé jusqu’à la mort par amour, on sent bien que ce n’est plus l’amour spontané, dionysiaque évoqué ci-dessus dont il s’agit.

Cela rejoint sans doute la vieille distinction entre “eros”, “philia” (amitié?) et “agapè”.

Mon souci en écrivant ces lignes est de me rappeler à moi-même combien le sens chrétien du mot amour peut être étranger à un certain nombre de nos contemporains, pour qui par exemple le mariage à vie n’a guère de sens - sauf dans les cas rarissimes “où l’on s’aime encore!".

Reste cependant ce qu’une maman ou un papa fait pour ses enfants “par amour”.

L'amour, c'est la joie, écrit Comte-Sponville dans son dictionnaire philosophique.

Alors c'est par notre joie que nous, chrétiens, pouvons sans doute faire découvrir aux hommes l'amour véritable, qui est don, et communion.

- 20 -

Linceul de Turin, etc.

"Cloner le Christ?" de Didier Van Cauwelaert est un livre passionnant, dont je recommande la lecture.

L'auteur retrouve la trace du "linceul" de Turin ("Saint Suaire") dès les premiers siècles, et évoque, entre de nombreux points, le fait que Constantinople pourrait revendiquer sa propriété.

Il montre de façon magistrale la mauvaise qualité - stupéfiante - des analyses au carbone 14. Il compare le Suaire avec la Tunique d'Argenteuil. Le tout fort documenté, nuancé et convaincant.

Le dernier chapitre est à lui seul un morceau d'anthologie, par la comparaison - et en quelque sorte l'opposition - qu'il fait entre le suaire de Turin et l'image de la Vierge de Notre Dame de Guadalupe, dont il révèle des détails "incroyables" !

L'ADN du crucifié de Turin est désormais assez connu pour que certains scientifiques disent qu'on y retrouve un "haplotype" (ne me demandez pas ce que c'est !) caractéristique de la tribu de Lévi...

- 21 -

La foi, c'est l'espérance?

Je dois dire ma déception à la lecture de *l'encyclique "Spe salvi"*.

On y trouve certes des choses utiles, comme par exemple l'invitation aux chrétiens de faire leur autocritique.

Mais pour qui a le souci d'une théologie un peu rigoureuse, les premiers paragraphes posent de vrais problèmes. "La foi est espérance" écrit le Pape. Ah ? Ce n'est pas ce que dit, par exemple, le catéchisme de l'église catholique...

J'ai eu l'impression que l'encyclique ne traitait pas de la vertu d'espérance, mais du contenu des espoirs des hommes...

Et quand je lis dans l'introduction: "*Simplement parce que l'espérance existe, nous sommes rachetés*", je me demande s'il s'agit de théologie ou de réflexion spirituelle... Pourquoi pas, mais c'est, au moins, surprenant.

Il y a des passages intéressants, quoique difficiles, sur la différence entre "hypostase" et "hyparconta", et sur "hypomone" et "hypostole"! Je vous laisse lire, mais finalement c'est clair.

Ou encore sur la façon dont, notamment à partir de Francis Bacon, les hommes se sont centrés sur la raison et sur la liberté: toute l'histoire de la modernité est ainsi reparcourue; classique mais utile.

Un lecteur français doit avoir en tête que la distinction entre "espérance" et "espoir" n'existe ni en latin ("spes") ni en allemand ("Hoffnung"), ni d'ailleurs, pour l'essentiel, en anglais ("hope").

Au total un texte dans lequel il m'a fallu 48 heures pour dépasser la première page, tant ce qui était dit me paraissait théologiquement discutable.

Il s'y ajoute, last but not least, que la traduction française est très défectueuse: entre "mot" remplacé par "parole" (par exemple au paragraphe 9), "plus encore" par "ultérieurement" (paragraphe 8), et des modifications complètement inexplicables, comme à la fin du 9 à propos d'hypostole, ou l'ajout d'un "tous" à la première ligne, j'ai dû travailler en ayant sous les yeux trois ou quatre versions linguistiques pour essayer d'y voir clair.

L'encyclique veut traiter des espoirs des hommes.

Elle s'adresse en fait aux chrétiens. Mais je ne suis pas sûr que beaucoup la liront.

P.S. - Plusieurs des erreurs de la traduction française ont été corrigées. Reste par exemple le "ultérieurement" mentionné ci-dessus, et "illuminisme" au paragraphe 19 (pour "Lumières")... Par contre l'édition papier qui vient de sortir les comporte encore, en tout cas Tequi (source: "Le salon beige").

- 22 -

“Croyances”

Une petite réflexion sur le mot “croyance”.

Je lis dans la charte d’un hôpital: “La personne hospitalisée est traitée avec égards. Ses croyances sont respectées.”

Personnellement je parle de mes “convictions” et de ma “foi”. Pas de mes “croyances”.

Le mot “croyances” employé seul a une connotation négative: cela évoque l’irrationnel, la superstition.

Pourtant j’imagine mal que le texte de l’hôpital dise “Ses convictions seront respectées”! Le mot est trop large. Il faudrait dire “convictions religieuses”.

Peut-on essayer de se battre pour ce changement de vocabulaire? Difficile! Les dictionnaires ne reconnaissent pas, pour la plupart, que le mot “croyance” est péjoratif dans beaucoup de contextes!

Une campagne d’humour peut-être? “Croyances, moi, jamais”?

Ce qui suppose que l’on soit capable de présenter la foi chrétienne autrement qu’on ne le fait traditionnellement: en montrant que tout le monde se base sur des convictions, d’une nature ou d’une autre.

Parler de Dieu

Pas le même Dieu?
“Mani” et autres gnoses
Hindouisme...
Transcendance...
Jésus, une vieillerie?
Comte-Sponville et le “Dieu caché”
Parler de Dieu?
L’incarnation et les extraterrestres
“Dieu Tout-Puissant”... mon très doux Maître !
La vie interne de la Trinité ?
Découverte de Dieu
"Dessein bienveillant"?
Dieu est-il “Père”?
“Un don de Dieu...”

- 23 -

Pas le même Dieu?

On dit parfois que les chrétiens et les musulmans n'ont pas le même Dieu (idem par rapport à n'importe quelle autre religion) ...

Ceux qui argumentent dans ce sens montrent par exemple la différence entre le Dieu des chrétiens, qui se donne jusqu'à en mourir, et celui, plus lointain semble-t-il, des musulmans.

Il me semble qu'il s'agit-là des représentations que nous avons de Dieu, que les religions ont de Dieu, et évidemment pas de Dieu lui-même.

Car si comme je le crois un être supérieur que nous appelons Dieu existe, alors il est le même pour tous, que nous croyions en lui ou pas, que nous ayons de lui telle représentation ou telle autre!

Ceux qui prient Dieu le prient avec la représentation qu'ils ont de lui: mais si c'est vraiment à l'être supérieur qu'ils s'adressent, alors c'est bien le Dieu unique qu'ils prient, et qui, je le crois, entend leurs prières.

- 24 -

“Mani” et autres gnoses

Je viens de terminer la lecture du livre “Les jardins de lumière” d’Amin Maalouf (J.-C. Lattès), qui raconte de façon romancée la vie de “Mani”, fondateur du manichéisme (en Perse, vers l’an 250), dont j’ignorais jusqu’au nom! Pour Amin Maalouf, il s’agit d’une doctrine extrêmement ouverte et tolérante. Le sens moderne de l’expression ne donne pas, estime-t-il, une idée juste de cette religion.

En parallèle je dispose d’un petit livre beaucoup plus technique, “Mani et la tradition manichéenne” (Points Seuil).

Le manichéisme s'est répandu dans le monde méditerranéen et au-delà, et a perduré de nombreux siècles. Saint Augustin (vers l’an 400) avait été manichéen; il dialogue avec eux. Les cathares, bien des siècles plus tard, en sont plus ou moins la continuation.

Cette doctrine est à replacer dans le contexte plus large des approches de type “gnostique”, opposant la lumière et les ténèbres, qui ont séduit beaucoup d’esprits. Pour ces gnoses, ou en tout cas pour beaucoup d’entre elles, Jésus, “sauveur spirituel”, ne peut pas être mort sur la croix, ce qui aurait été charnel...

Mani, élevé dans les milieux gnostiques, se considérait comme la révélation ultime: le Paraclet en qui repose l’Esprit, le "consolateur" annoncé par Jésus...

Je suis frappé par la ressemblance des deux éléments que je viens de mentionner avec ce que dira Mahomet (vers l’an 600), lui aussi dernier prophète et niant que Jésus soit mort sur la croix... Peut-être des groupes manichéens existaient-ils dans la région où vivait Mahomet.

- 25 -

Hindouisme...

Je voyais ce soir dans une émission de télévision que des phénomènes miraculeux ont lieu autour d'une statue hindouiste ...

J'avoue que j'ai tendance, spontanément, à placer tous les rituels religieux des religions asiatiques au rang de superstitions, de comportements “de grand-mère” :-)

Et puis... j'ai repensé à deux choses, et je cite la deuxième d'abord, pour l'évoquer seulement brièvement: c'est ce qu'on dit sur les yogis, et sur leur capacité éventuelle de se mouvoir dans des sphères spirituelles supérieures qui nous sont inaccessibles: vrai ou pas vrai, je n'en sais rien, et donc je n'en parle pas plus.

Mais je me suis surtout rappelé ce que j'ai lu dans le livre de Patrick Lévy “Dieu croit-il en Dieu?” (Albin Michel 1997)[6].

Patrick Lévy a voyagé dans le monde entier, et voici un bref extrait d'une rencontre qui se situe au cours de son premier séjour en Inde; la scène a lieu dans une rue:

“Je tressaillis en m'apercevant qu'un homme s'était installé à côté de moi; je n'avais pas remarqué son arrivée. (..)

“Il m'observa avec une insistance dont j'avais pris l'habitude dans ce pays ... (..) Il dit:

“Je peux te dire ton avenir, mais pour que tu puisses le croire, il faut d'abord que je te dise ton passé, n'est-ce pas? (..)

“Je lui répondis, incrédule et impertinent, plutôt joueur: ‘Je ne veux pas savoir mon avenir, je préfère être surpris par la vie, n'est-ce pas?’

---

[6] p.85

“Il écoutait (..) avec son rire contenu ou suspendu comme si ce que je disais était très drôle ou alors ridicule. (..)

(Swami Vichârava - tel est le nom de cet interlocuteur - propose à Patrick Lévy d'écrire un chiffre, puis une couleur, et il les devine.)

“Ce n'est pas mon passé, c'est le présent!" me plaignis-je pour alimenter ma mauvaise foi et cacher ma surprise. Cela flairait la supercherie, mais je ne savais pas laquelle, ni comment.

“Alors il écrivit ma date de naissance, le nom de ma mère, son âge, sa date de naissance, sans faute d'orthographe, même le nom rare de maman. J'ai cru qu'il s'était trompé sur son âge, mais après avoir fait le calcul, je m'aperçus qu'il avait raison. Il riait:

“- Présent, passé, futur, même chose, all the same, all the same!”

- 26 -

Transcendance...

J'écris ce billet après une conférence au cours de laquelle a été évoquée la difficulté de "réunir tous les hommes autour d'une même table" (l'expression est de Michel Serres); et de "trouver une façon de parler de la transcendance aux hommes d'aujourd'hui".

C'est je crois ce que j'ai essayé de faire dans mon livre "Le fait Jésus", même si je n'emploie pas le mot transcendance.

Qu'est-ce d'ailleurs que la transcendance? Je me contenterais volontiers dans un premier temps des définitions qui apparaissent dans le "Petit Larousse":

- C'est ce qui est "d'une nature radicalement autre", "absolument supérieure"; ce qui est "extérieur au monde".

- C'est ce qui est au delà de toute expérience possible.

La notion d'absolu change un peu de nature à notre époque, où l'on distingue par exemple en mathématiques plusieurs niveaux d'infinis.

Et qu'est-ce que "le monde"?

Dès lors si quelqu'un comme André Comte-Sponville affirme que "*pour le matérialiste il n'y a pas de transcendance, il n'existe que le monde*", cela ne me gêne pas vraiment!

J'ai d'ailleurs déjà indiqué combien me paraissait discutable, spécieuse, l'opposition entre matérialisme et... quoi d'autre d'ailleurs? Le spiritualisme?

Pour moi ce qui est, est! Et il y a probablement une partie de ce réel qui nous dépasse "infiniment". De même que par exemple notre réflexion dépasse ce qu'une amibe ou même une mouche peut appréhender! On est toujours le transcendant d'une autre espèce .

Si donc par transcendant on entend un réel qui nous dépasse, c'est bien ce dont traitent mes réflexions.

(On entend aussi parfois par transcendance les vécus intérieurs exceptionnels que tel ou tel homme peut parfois expérimenter: je l'évoque en partie en parlant des "signes" que le chrétien ressent parfois).

- 27 -

Jésus, une vieillerie?

Bavardant au forum des associations de notre commune avec un homme qui dit s'être éloigné de l'église, je lui parle - comment est-ce venu, je ne sais plus - de Jésus et de l'exemple qu'il propose par la façon dont il a vécu.

C'est vraiment comme si je lui avais parlé de l'homme de Cro-magnon!

Il répond aussitôt quelque chose comme: "Oui mais ce qui m'intéresse c'est d'agir dans le monde aujourd'hui".

Je découvre à cette occasion combien la structure mentale du chrétien - en tout cas de certains chrétiens comme moi! - est éloignée de celle de "l'homme de la rue", pour lequel Jésus c'est une vieillerie, cela ne concerne pas notre vie d'aujourd'hui!

Cela fait réfléchir sur la façon d'annoncer notre foi!

C'est vrai que si un bouddhiste me disait "Agis comme Bouddha", je le regarderais sans doute avec des yeux ronds... Cela ne voudrait rien dire pour moi!

- 28 -

Comte-Sponville et le “Dieu caché”

Dans le chapitre “Dieu existe-t-il?” de son livre “L’esprit de l’athéisme”, André Comte-Sponville examine certains arguments des chrétiens qui expliquent que Dieu se cache volontairement pour nous laisser libres de croire en lui ou non, de suivre ou non ses commandements.

Ce que répond Comte-Sponville mérite me semble-t-il réflexion (c’est pages 106 et suivantes):

“(Puisque) Dieu est partout (..) et tout puissant, c’est donc qu’il refuse de se montrer (...). Je n’ai plus l’âge de jouer à cache-cache.”

A cette première remarque on peut sans doute répondre que pour le “voir” il faut développer les bons organes de “perception”. Voit-on l’électricité? Cela me fait penser à la suggestion du diable lors de la tentation.

On dit à Dieu: “Puisque tu es tout puissant, montre-toi donc...”. Mais qu’est-ce qu’on appelle “se montrer”? Montrer quelque chose de lui qui lui ressemble vraiment? Un bras?! Un orage? Il s’est montré en Jésus-Christ. C’est ce qui approche le plus ce que nous pouvons percevoir de lui! Mais il est vrai que cette méthode choisie par Dieu, de se révéler à travers un homme d’un pays particulier à une époque donnée, conduit à ce que bien des hommes n’auront pas eu l’occasion de le connaître: par exemple ceux qui ont vécu dans d’autres pays et à des époques antérieures à lui... Donc en ce sens Dieu a bien choisi de ne se montrer que peu à peu à l’humanité.

Comte-Sponville poursuit: *"Si Dieu se cache pour nous laisser libres (..) (c'est donc que) nous serions plus libres sur Terre que les bienheureux dans leur Paradis, eux qui voient Dieu 'face à face' (1ère aux Corinthiens)"*.

Raisonnement apparemment logique! Il faut donc repartir du début, pour voir où est l'erreur. Elle est peut-être justement dans les affirmations de départ, qui ne sont pas exactement ce que dit la Bible.

Dieu se cache-t-il? Il y a deux références en ce sens dans le Deutéronome: "Je leur cacherai ma face" (31,17 et 32,20) . Mais c'est justement l'exception! Et cela veut dire que le peuple élu ne verra plus, pendant quelque temps, l'action de Dieu, alors qu'habituellement il la voit.

Autres références, dans les psaumes et dans Isaïe: "Tu nous caches ta face" ou "Tu es un Dieu caché". Cela rejoint les nombreux passages où il est dit que les desseins de Dieu sont cachés. Nous n'avons pas toujours le sentiment de sa présence; et certainement pas *la compréhension de ses plans*!. Mais pour moi, comme le dit Saint Augustin, c'est nous qui sommes loin, alors que lui est toujours là: "Vous étiez au-dedans de moi; mais j'étais hors de moi; et c'était là que je vous cherchais".

Après la mort, espérons-le, nous serons toujours en nous: pleinement présents à nous-mêmes, et ouverts au Dieu toujours présent.

Donc il n'est pas juste de dire que "Dieu se cache pour nous rendre plus libres". Il se montre peu à peu, au fur et à mesure que nous le cherchons et sommes capables de l'accueillir.

Objection suivante de Comte-Sponville: *"Prétendre que Dieu se cache afin de préserver notre liberté, ce serait supposer que l'ignorance est un facteur de liberté"*.

On vient de le voir: en réalité Dieu ne se cache pas; donc l'argument des chrétiens qui disent que Dieu se cache pour préserver notre liberté est à tout le moins mal formulé.

Comte-Sponville dit: j'ai prié (dans mon enfance), j'ai demandé, et jamais il ne s'est manifesté à moi. Sans doute Comte-Sponville attendait-il, comme il le dit d'ailleurs, que Dieu lui "parle". Mais ceci reste l'exception, en quelque sorte un sommet dans un itinéraire. C'est par Jésus-Christ et par l'Eglise qu'habituellement Dieu nous montre qui il est, et nous propose d'entrer dans un chemin d'approfondissement personnel.

Selon la façon dont le christianisme vous est expliqué, et suivant les caractéristiques de votre personnalité dans les périodes où il vous est présenté, vous pouvez y reconnaître le Dieu qui comble votre esprit et votre coeur, ou au contraire peut-être n'y adhérer que temporairement.

- 29 -

Parler de Dieu?

Les paragraphes 39 à 50 du Catéchisme de l'Église catholique, ainsi que "l'abrégé", semblent reprendre des approches théologiques traditionnelles disant que l'on peut parler de Dieu aux hommes "*à partir des multiples perfections des créatures*". Il s'agit-là en somme d'un Dieu "extrapolé". Je doute que cela intéresse ou convainque grand monde aujourd'hui; mieux vaut parler de Jésus-Christ!

Le texte plonge un niveau plus loin dans l'irréel en utilisant des expressions dont je ne sais d'où elles sortent, comme quoi notre langage "atteint Dieu lui-même" (§ 43), et peut "connaître Dieu avec certitude" (§§ 47 et 50). Est-ce un problème de traduction par rapport à des versions en d'autres langues qui seraient plus claires, plus subtiles?

La citation de Saint Thomas (§ 43) me paraît elle aussi datée: "Nous (..) pouvons saisir de Dieu (...) comment les autres êtres se situent par rapport à Lui". Non, vraiment, je ne crois pas qu'on puisse dire grand chose à ce sujet!

Deux affirmations essentielles demeurent: "Ne pas confondre Dieu avec nos représentations humaines", et "sans cesse purifier notre langage, (..) limité, imagé et imparfait".

- 30 -

L'incarnation et les extraterrestres

Isabelle de Gaulmyn, dans son excellent blog "Vu de Rome", évoque, ce 14 mai 2008, la réponse du directeur de l'observatoire du Vatican interrogé à propos des extraterrestres. Il croit à leur existence, mais pour lui il s'agit, soit d'animaux supérieurs (!), soit de personnes n'ayant pas connu le péché et n'ayant donc pas besoin de l'incarnation!

La réponse - ridicule de mon point de vue - de ce père jésuite, m'apparaît surtout marquée d'une prudence remarquable...

Pourtant il y a me semble-t-il au moins deux autres hypothèses:
- Que Dieu se soit aussi incarné chez eux! Pourquoi pas? Jésus peut aller aussi dans ces autres "demeures"!
- Ou alors, soyons orgueilleux et rêvons un peu, qu'il nous appartienne, à nous misérable planète des confins d'une galaxie quelconque, de révéler le Dieu d'amour aux civilisations éventuellement "supérieures" avec qui nous serons peut-être un jour en contact. Jusqu'à ce qu'un jour, comme la terre actuellement, toutes les galaxies soient "à une journée de voyage" et qu'ainsi le Christ puisse être révélé à tous.

Mais à vrai dire, quel besoin de tout "mettre en théologie"! Nous savons ce qu'il en est pour nous: Dieu nous a révélé son amour. Ce qu'il en est des autres civilisations, c'est son affaire: "Que t'importe! Toi, suis-moi!" (Jn 21,22)

\- 31 -

“Dieu Tout-Puissant”... mon très doux Maître !

L’expression “Dieu Tout Puissant” vient de deux mots hébreux: “Sabaoth” et “Shaddaï”, le premier signifiant Dieu “des armées” et le deuxième “le vaillant” ou “le Dieu des montagnes”. Rien à voir avec cette toute puissance écrasante que l’on répète et qui démoralise certains.

L’encyclopédie “Théo” signale que “Pantocrator”, le terme grec utilisé pour traduire les mots hébreux ci-dessus, signifie certes “tout-puissant” mais peut aussi s’entendre comme “Souverain Maître”. Voilà qui me plaît plus.

“Mon très doux maître, mon souverain maître!”

“Que Dieu qui est notre souverain maître nous bénisse, lui qui est Père, Fils et Esprit...”

- 32 -

La vie interne de la Trinité?

Dans un exposé que j'ai eu l'occasion de faire sur la Trinité[7], j'ai soigneusement évité toute considération sur les relations entre les personnes de Dieu "dans l'au-delà".

Il y a bien sûr les phrases par lesquelles Jésus s'adresse à son Père, et ce qu'il nous dit dans l'évangile de Jean. C'est beaucoup, et c'est bien là la base de notre connaissance de la Trinité. Mais je ne crois pas que nous puissions réellement parler de ce qu'il en est dans l'au-delà; par exemple dire que l'Esprit est la relation du Père et du Fils.

Nous savons ce que Jésus nous a dit; nous constatons la présence de l'Esprit. Mais l'au-delà nous dépasse infiniment. Nous pouvons dire ce que nous comprenons de Dieu. Mais le monde de l'au-delà est peut-être infiniment plus complexe que ce que nous pouvons en comprendre.

Quand j'entends, à la télévision, l'auteur d'un livre ("La Trinité racontée") expliquer que Dieu le Père est devenu réellement père grâce à Jésus, c'est pour moi une belle phrase qui n'est pas forcément vraie. C'est le genre d'affirmation que je préfère éviter.

Jésus est ce que nous pouvons voir de Dieu. Il est "le Fils". Vivons cela, et aimons le Dieu unique, sans chercher à en dire plus que ce qui est clair.

---

[7] http://plestang.free.fr/trinite.htm

- 33 -

Découverte de Dieu

La Révélation apporte une découverte progressive de Dieu.

Le catéchisme parle à ce sujet de “pédagogie de Dieu”, idée importante, que les fondamentalistes devraient avoir mieux en tête.

Il y a du progrès dans la révélation, et la Bible est à lire en esprit, et non en mettant tous les passages au même niveau.

C’est un processus où l’homme découvre Dieu, en voyant sa présence dans une histoire souvent très humaine.

Je ne pense pas, cependant, qu’on puisse dire comme Saint Irénée, cité par le catéchisme, qu’il y a “accoutumance mutuelle entre Dieu et l’homme”. Cette façon de parler paraît bien anthropomorphique!

La découverte de Dieu par l’homme se poursuit.

Même si l’Eglise a pris l’habitude de dire que la Révélation est achevée, et que Dieu s’est révélé “pleinement” en Jésus-Christ (catéchisme paragraphes 66 et 73), la réalité est différente!

J’en prends pour témoin une interview du cardinal Ratzinger peu avant son élection au pontificat:

Considérer la Révélation *“comme un trésor de vérité complètement révélée, auquel on ne peut rien rajouter”* est *“une compréhension intellectualiste et réductrice”. (..)*

“(Avec) la venue du Christ (..) s’est ouvert un nouveau mode d’introduction de l’homme dans la vérité tout entière, comme dit Jésus dans l’Evangile de saint Jean, où il parle de la descente du Saint Esprit. (..) La christologie pneumatique du dernier discours

d'adieu de Jésus dans l'évangile de saint Jean est très importante (..), le Christ y explique que sa vie corporelle sur terre n'était qu'un premier pas. La vraie venue de Jésus se réalise au moment où lui n'est plus lié à un lieu fixe ou à un corps physique, mais comme le Ressuscité dans l'Esprit capable d'aller à tous les hommes de tous les temps pour les introduire dans la vérité d'une manière toujours plus profonde."

Oui, le Saint Esprit est là, et Dieu se révèle par lui! L'expression "la Révélation est close avec la mort du dernier apôtre" n'est d'ailleurs pas reprise par le catéchisme.

Je ne parle pas ici des "révélations privées", pour lesquelles il est sans doute dommage d'utiliser le même mot! Je parle de la révélation que Dieu continue à faire de lui-même à travers l'histoire des hommes et des églises, et leur réflexion. Notre idée de Dieu n'est certes pas la même que celle des premiers chrétiens.

Dire, comme Saint Jean de la Croix, cité par le catéchisme, que "Dieu n'a plus rien à dire" me paraît sidérant!

Le Christ est "ce que nous pouvons voir de Dieu". Mais l'Esprit est ce que nous pouvons, génération après génération, entendre de Dieu.

- 34 -

"Dessein bienveillant"?

Le catéchisme utilise ce titre, en tête de la partie où il décrit le développement de la révélation à travers les siècles.

Comme cette expression me gêne, j'ai été regarder où elle était dans l'écriture. Le mot traduit ainsi en français (eudokia) se trouve notamment en Ephésiens 1,9. On pourrait aussi traduire par "*dessein d'amour*" de Dieu.

Pourquoi cette expression me gêne-t-elle? A cause de la question du mal dans le monde, pour laquelle de bons auteurs s'accordent maintenant à reconnaître que nous n'avons pas d'explications.

Jésus nous a dit comment agir par rapport au mal, il ne nous a pas dit pourquoi il y a le mal.

Allez expliquer à une maman, qui vient de perdre son fils de 5 ans dans d'affreuses souffrances, que Dieu a un dessein bienveillant sur l'humanité! Ce serait directement contraire à l'amour; et ce ne serait pas parler en vérité.

Parce que je vis dans la foi, j'ai confiance dans le dessein de Dieu; mais je ne sais pas pourquoi il passe par ces souffrances, et je trouve que le mot "bienveillant" est inadapté.

Comment parler, alors, du plan de Dieu? A-t-on besoin d'un adjectif?

"Dieu nous a fait connaître *le mystère de son dessein*".

Il reste largement un mystère.

- 35 -

Dieu est-il “Père”?

Dire, à des non chrétiens, que Dieu est père, ou qu'il est amour, est inacceptable; incompréhensible.

La réponse immédiate sera que, avec les malheurs qu’il y a dans le monde, c’est un père qui s’occupe bien mal de ses enfants.

Jésus nous révèle pourtant un Dieu qui est père.

Il ne nous tire pas nécessairement du pétrin, mais notre vie prend un autre sens. Nous pouvons entrer dans la confiance, la louange, et confier chaque situation à son amour.

Mais beaucoup n’ont pas vraiment entendu parler de Jésus; ou si mal qu’ils n’ont pas compris!

Notre Dieu est un "Dieu caché" (Isaïe 45,15).

Dire “Dieu est amour”, c'est désigner une des dimensions de Dieu: quelque chose d’extraordinaire qui change complètement la vie de ceux qui le découvrent.

Je connais, ou apprends à connaître, en ce qui me concerne, le Dieu d’amour.

Mais, à un homme qui ne le connaît pas, je parlerais plutôt de Jésus: qui nous montre un chemin d’amour qui en vaut la peine.

Ce qu’il en est, par ailleurs, de l’au-delà, cela nous dépasse.

- 36 -

"Un don de Dieu..."

A la messe, le prêtre évoque une phrase qui est parfois dite aux chrétiens: "*Vous avez de la chance de croire..*"
Et il répond: "Non, c'est un don de Dieu"...

Mais cette réponse n'est pas appropriée: elle n'aiderait pas un interlocuteur non-croyant à trouver le chemin de la foi.

Que répondre alors? A mon sens si un dialogue peut s'engager à cette occasion, il ne consiste pas d'abord à expliquer s'il y a "chance" ou pas, mais à amener l'interlocuteur à préciser sa pensée, sa recherche.

Car si l'on parle de "chance" ou de "don de Dieu", l'idée demeure en quelque sorte qu'il s'agit d'une loterie. Ce qui ne donne pas une idée juste de Dieu.

C'est en effet magnifique de croire, et nous pouvons remercier Dieu, même si nous ne savons pas toujours comment nous l'avons rencontré - et d'autres pas.

C'est une bénédiction, et c'est en même temps une responsabilité: être les témoins, si médiocres, de l'amour infini!

Vie spirituelle

- 37 -

“Merci, pardon, s’il te plaît”:

Cette “prière d’alliance" me paraît ne pas mettre en avant une dimension essentielle: la remise de la journée future entre les mains du Seigneur, c’est à dire la confiance en l’Esprit pour que la journée soit ce qu’elle sera, et peut-être bien différente de ce que j’avais envisagé.

“Viens agir en ma vie, Seigneur!”

- 38 -

Le pardon: deux erreurs courantes

Il y a deux erreurs sur le pardon, que j'ai rencontrées notamment chez certains évangéliques ou charismatiques.

Ce sont les suivantes:

1. Penser qu'on ne doit pardonner que si l'autre vient vous demander pardon.

2. Penser que si on va demander pardon à quelqu'un, celui-ci doit vous pardonner...

Commençons par le premier point: Le "Notre Père" *ne donne aucune limite au pardon*; et quand Pierre demande à Jésus "Combien de fois pardonnerai-je?", il n'est pas spécifié que l'autre est venu vous le demander.

Il est vrai qu'un autre passage dit: Si ton frère vient te demander pardon, tu lui pardonneras"; mais cela ne veut nullement dire que dans les autres cas on ne doit pas pardonner.

D'ailleurs Jésus, Etienne, et Paul, chacun à sa façon, ont pardonné ou conseillé le pardon par rapport à des gens qui n'avaient absolument pas demandé pardon...

Le pardon nous délivre. Il s'agit d'un acte *intérieur*, difficile (je vais y revenir à propos du deuxième point), et surtout *qui ne consiste pas forcément à aller dire à l'autre qu'on lui pardonne!*

Car si on est arrivé à pardonner vraiment dans son coeur, on devient capable de voir ce qui est bon pour l'autre: et *il n'est pas forcément bon pour l'autre* qu'on vienne lui dire qu'on lui pardonne: il faut évaluer la situation, dans chaque cas.

Sans compter les cas où l’autre n’a pas conscience qu’il nous a offensé: il n’est pas nécessairement conforme à l’amour d’aller le lui dire.

Sur le deuxième point ("il doit vous pardonner"): aller demander pardon c'est *s’engager dans une relation avec l’autre*. Peut-être d’ailleurs l’a-t-on offensé sur des points bien différents de ceux pour lesquels on vient lui demander pardon.

S’engager dans une relation avec l’autre, *ce n’est pas faire de l’autre une machine automatique qui doit vous pardonner parce qu’on vient le demander; l’autre n’est pas tenu de pardonner!* Si on va demander pardon, il faut que ce soit par amour; et sans attendre de l’autre qu’il vous pardonne nécessairement.

Et si on est l’offensé, et que l’autre vient vous demander pardon, on n’est pas du tout obligé de pardonner! L’autre, qui vous a blessé, n’acquiert pas brusquement un pouvoir sur vous parce qu’il a fait cette démarche de pardon.

Selon notre état intérieur, on pourra se contenter par exemple de remercier l’autre. Mais s’il insiste pour savoir si on lui pardonne, il peut être juste de lui dire - dans ces termes ou dans d’autres - que l’on suit un chemin intérieur de guérison, et que l’on n’en est pas encore sorti.

Que l’autre n’apprécie pas, c’est possible; mais chacun doit d’abord être dans la vérité par rapport à son propre itinéraire spirituel. On ne doit rien à l’autre par rapport à cet incident; et on peut même être tout à fait incapable de l’aimer.

Mais il est bon, si on le peut, dans une situation de ce genre, de se remettre à l’Esprit, pour qu’il guide nos paroles.

- 39 -

Encore sur le pardon

Avec un ami, qui s'interrogeait hier sur cette question du pardon, j'ai d'abord évoqué le cas des femmes - il y a aussi des hommes - qui pendant leur enfance ont été victimes d'abus sexuels. Combien de dizaines d'années leur faudra-t-il pour atteindre une paix spirituelle suffisante pour envisager le pardon - si elles y parviennent?

Le pardon n'est pas un acte volontaire que l'on plaque sur ce que l'on ressent, en se niant soi-même.

Une spiritualité épanouie associe l'ensemble de la personne, telle qu'elle est.

Mais, ajoute mon ami, Jésus n'a-t-il pas dit de pardonner?

Certes, mais il n'a pas dit que c'était facile. Dans le discours sur la montagne (Matthieu 5) il dit aussi de tendre l'autre joue, et "à qui veut ... te prendre ta tunique, laisse aussi ton manteau". Combien de chrétiens ont atteint le point où ils pratiquent vraiment cela? C'est une sorte "d'objectif évangélique", le but de toute une vie.

Pour atteindre ce but il faut commencer par voir clair en soi-même. Et se placer, humblement, tel qu'on est, entre les mains du Seigneur: sans culpabilité; avec amour et patience.

- 40 -

Accepter d'être agressé...

Hier, à propos de Matthieu 5,22 ("*quiconque se met en colère contre son frère en répondra...*"), le prêtre dans son homélie nous a invités à voir clair dans nos colères:

"*Sainte colère*" dites-vous? Grattez donc un peu! En fait vous vous êtes senti agressé.

La colère est un "péché capital" nous a-t-il rappelé: qui en entraîne beaucoup d'autres; qui nous met sur une pente dangereuse.

J'ai repensé à certaines de mes colères, que je regrette. Et aussi à ma fureur contre des textes à l'argumentation déplorable, comme une certaine encyclique de 1968... (Humanae Vitae).

C'est vrai que je me sens agressé par certains textes - encore récemment par le mauvais article d'un journaliste que je croyais de qualité: article qui met des idées fausses dans la tête des gens, et où il raisonne vraiment "comme un tambour". :-)

Quand on se sent ainsi agressé, peut-on éviter la colère? Et, en prenant conscience de ce qui vous agresse, commencer un "travail sur soi" qui mène à une attitude plus adulte, plus chrétienne? Plus utile aussi!

D'aucuns diront qu'il faut exprimer sa colère, et non pas la refouler. Sans doute. Mais c'est encore mieux quand on peut ensuite la dépasser. Et aussi quand on cesse d'être "soupe au lait"! :-)

P.S.: Cela me rappelle un texte de Frank Herbert: "A celui qui prétend s'ériger en juge, il convient de poser la question suivante: 'En quoi avez-vous personnellement été offensé?' ..."

- 41 -

L'encyclique "Dieu est amour"

Le style des encycliques est souvent ampoulé, et la pensée contorsionnée. Elles me rebutent en général; et, souvent aussi, je ne suis pas d'accord avec ce qui est dit...

"Dieu est amour" est un texte assez clair, pas trop long, où l'on sent le professeur amical et attentif. Par moments on croirait un exposé oral.

Quelques idées-force se dégagent, presque des idées choc: il y a de l'Eros en Dieu! Et l'homme n'est "complet" que lorsqu'il est en couple...

Dans la seconde partie, Benoit XVI montre que la charité, au service de tous ceux qui ont besoin d'aide et d'amour, fait partie des missions indispensables de l'Eglise et pas seulement de chaque chrétien.

C'est un témoignage d'amour que l'Eglise, en tant que telle, doit porter; et au départ les offrandes des quêtes étaient pour les nécessiteux, pas pour le fonctionnement de l'Eglise (idem l'institution des diacres elle-même).

Il y a du grain à moudre pour bien intégrer les apports de ce texte. Il mérite que les chrétiens - catholiques ou autres! - se l'approprient en le partageant dans des groupes de réflexion!

S'il faut dire quelques points moins positifs, mais tout à fait mineurs sauf le dernier: il y a quelques répétitions de citations; le style est, en de rares endroits, un peu moins fluide; il y a manifestement , disons quelques "imprécisions" de traduction (pas beaucoup). Et surtout, pour en revenir au fond, l'analyse du couple et de la sexualité reste limitée, aux deux "extrêmes":

- L'attirance automatique et inévitable d'un sexe vers l'autre est-elle la même chose que l'extase d'un vrai Eros?

- Et, à l'autre bout (par. 17), peut-on vraiment dire que dans un couple on arrive à "devenir semblable l'un à l'autre" avec une "communauté de volonté et de pensée"?

Il y a de cela bien sûr dans un "vieux couple" - je connais! :-) , mais chacun garde, ô combien, sa personnalité, bien différente de celle de l'autre.

Ces remarques n'enlèvent rien aux qualités de forme et de fond de cet intéressant document.

- 42 -

Je suis le fils aîné!

Tout le monde connaît la parabole de l'enfant prodigue, et du fils aîné qui refuse d'entrer… (Luc 15).

Cela vient en quelque sorte de m'arriver ce midi!

La messe à laquelle je vais d'habitude avait été avancée: on m'avait prévenu qu'elle commencerait à midi moins le quart. Mais à moins vingt quand j'arrive, on en est déjà au chant du psaume! Mécontentement…

En plus la chanteuse semble se croire à l'opéra… Et l'homélie est médiocre, discutable.

C'est vers la fin de la messe, en chantant "nous sommes les membres du corps du Christ" que je me suis rendu compte que je n'étais pas entré dans la célébration. J'étais resté à la porte, refusant d'entrer…

- 43 -

Quiconque regarde une femme de façon à la désirer..

C'est ainsi que la Bible Segond traduit Matthieu 5,28. La traduction liturgique dit de son côté: “regarde une femme et la désire”, ce qui revient à supposer que le désir est quelque chose que l’on contrôle.

Il faut insister d'abord sur le fait que *le désir est loin d’être mauvais*, comme dans un autre domaine l’appétit! Cela fait partie des dimensions normales de la personne humaine. Peu de chrétiens le reconnaissent!

Et pourtant c’est vrai qu’il y a plusieurs façons de regarder un autre être humain; et notamment comme un objet... Le désir est à intégrer dans une attitude globale de relation vraie d’amour.

- 44 -

Demander au Seigneur de changer

Un chrétien conséquent constate souvent combien il est loin d'agir selon l'amour.

De temps en temps, dans la prière, nous reconnaissons que nous devrions progresser; qu'il serait bien que certaines choses changent dans notre vie.

Il nous arrive donc de demander au Seigneur de nous changer, de changer des choses en nous; il y a des moments où nous voulons vraiment ce changement, cette action de Dieu qui nous rapprochera d'une meilleure façon d'agir dans son amour.

Eh bien lorsqu'on a eu ce désir sincère, et qu'on l'a demandé en telle ou telle occasion au Seigneur, il est bien possible que le Seigneur réponde! Pas forcément de façon rapide, ni comme on l'a demandé; peut-être même sans que nous nous apercevions que nous avons légèrement changé de comportement.

Il peut arriver que nous constations ce changement de comportement, ou qu'il se produise, en quelque sorte par hasard: dans une certaine circonstance, nous nous apercevons que nous avons réagi différemment de la façon dont nous réagissions d'habitude: nous découvrons qu'une nouvelle attitude s'est faite jour en nous! Par exemple que, face à quelqu'un au visage rebutant, au lieu d'avoir en nous les mêmes pensées négatives que d'habitude, nous avons pensé avec amour à l'autre.

Et il se peut que nous prenions conscience *que c'est bien là un changement que nous avions demandé à Dieu*, et qui vient de se réaliser. Que ce n'est pas à la force de notre volonté que ceci s'est produit, mais au contraire tout en douceur, en détente, dans une harmonie plus grande au coeur de nous-mêmes.

Face à ce changement, que nous acceptons d'attribuer à Dieu et non à notre action, nous pouvons peut-être avoir une certaine réaction de frayeur, du genre: si Dieu se met à nous changer, nous ne sommes plus maîtres chez nous.

Mais si nous nous rappelons qu'après tout nous l'avions demandé, notre inquiétude peut se changer en louange:

Dieu nous transforme comme nous le souhaitions, et développe nos talents!

- 45 -

Se protéger pour ne pas juger

Si on juge quelqu'un, c'est parfois parce qu'on a peur de lui.

Il y a en fait deux sens du mot juger: car il est nécessaire d'évaluer les situations où nous nous trouvons, de les juger, ce qui inclut parfois d'évaluer aussi la ou les personnes qui y sont impliquées; et le cas échéant de faire part à d'autres de l'évaluation que l'on fait. Mais en restant dans la charité.

Un autre sens du mot juger, courant pour les chrétiens mais pratiquement absent des dictionnaires, est l'opinion critique négative portée sur une personne, en pensée ou en paroles.

Si on a une telle réaction par rapport à quelqu'un, c'est peut-être que sa façon d'être ou d'agir nous semble une menace pour nous, consciemment ou inconsciemment. Nous nous sentons agressé; nous ne savons pas comment agir ou réagir.

Car nous avons tous nos fragilités, plus ou moins grandes.

D'où la nécessité que nous établissions des protections, des barrières.

Parfois il faudra simplement, comme Thérèse de Lisieux, fuir pour éviter la situation. Parfois trouver une autre solution.

Développer en soi des protections par rapport aux autres, créer éventuellement des distances pour pouvoir garder la paix intérieure, est une tâche psychologique importante. Il s'agit de prendre soin de soi-même, de s'aimer soi-même, pour pouvoir aimer les autres.

Si donc on a envie de juger quelqu'un ou si on a peur de lui ou d'elle, il sera bon d'apprendre à se protéger; de chercher quelles barrières on pourrait placer.

Lorsque cette habitude de se protéger sera intégrée, le besoin de juger ou de critiquer s'estompera. Les peurs seront plus supportables.

Puissance de la louange et attitude charismatique

La louange est une attitude répandue chez les chrétiens, sous des formes diverses (monastique, etc.).

S'agissant de l'approche proposée par le livre "Puissance de la louange" de Merlin Carothers[8], il ne faut pas la confondre avec l'attitude charismatique. J'écris cela parce que certains semblent croire qu'il s'agit de la même chose...

Cette méthode de louange inconditionnelle s'applique à tout chrétien et sans préalable: voir par exemple le général dont l'histoire est racontée à la page 120 et dont on pourrait dire que Merlin Carothers le traite par une "injonction paradoxale" suivant les méthodes de Palo Alto/Watzlawick:

> "Je lui suggérai que cette tension (dont il se plaint et qui "va le tuer") se relâcherait s'il remerciait simplement Dieu *de l'avoir créé exactement comme il était.*
>
> "- Vous voulez dire, comme je suis maintenant, rempli de craintes et de tensions?
>
> "Je fis oui de la tête".

La méthode de Puissance de la louange est une démarche de foi, et n'a en elle même aucune relation avec l'approche charismatique. Je pense d'ailleurs qu'un certain nombre de charismatiques ne la connaissent pas, et que ceux d'entre eux qui ont lu le livre ne mettent pas toujours en pratique son caractère paradoxal et sans conditions.

---

[8] Voir aussi mon livre "Un dossier sur Puissance de la louange"

Ce qui complique il est vrai les choses, c'est que Merlin Carothers impose parfois les mains aux personnes pour demander que l'Esprit vienne en eux, et qu'il consacre plusieurs pages de son livre au baptême dans l'Esprit[9].

Mais la louange inconditionnelle reste une sorte "d'invention" propre à ce livre; elle est indépendante du fait que l'on soit charismatique ou non.

Le point essentiel est la foi. Ce qu'il faut, c'est comprendre que c'est Dieu qui agit, et l'en remercier.

---

[9] Notamment pages 67-69 et 76-82

- 47 -

Nuit spirituelle: comme un explorateur

On parle beaucoup ces temps-ci des lettres de Mère Teresa, qui révèlent la “nuit de la foi” qu’elle a vécue. Elle ne souhaitait pas semble-t-il que ces lettres soient publiées... La Croix leur consacre un bref article.

Il me semble d’abord que les mots et les phrases ont des sens multiples, en eux-mêmes et surtout dans le contexte très large constitué par toute une évolution spirituelle personnelle.

La phrase souvent mise en exergue “Je n’ai pas la foi”... se trouve dans une lettre qu’elle écrit... à Jésus!

Emettons une hypothèse: il y a des moments dans la vie spirituelle où on vit dans une sorte de paix affective intérieure: où l’on se remet facilement entre les mains de Dieu, etc.: des moments où on se sent “assuré” de sa foi, c’est à dire que l’on pourrait assez facilement expliquer pourquoi on croit.

Et puis il peut y avoir, surtout quand on avance, des moments où on est comme un explorateur du Grand Nord avançant avec ses chiens dans la tempête de neige. On avance, on ne peut pas imaginer faire autre chose, mais on n’a plus en soi de pensée, de sentiments; juste cette conviction qu’il faut continuer...

C’est ainsi que je vois ce chemin de sainteté.

- 48 -

L'indulgence, cette vertu si rare...

Texte pour un anniversaire de mariage (1990)

Sur le fronton du temple de Delphes il était écrit:

"GNÔTI SAUTON"

C'est à dire:

"CONNAIS-TOI TOI-MÊME!"

Vous avez peut-être déjà entendu l'histoire de l'oeuf d'aigle qui avait abouti, je ne sais comment, dans une basse cour, parmi des oeufs de poulet. Les oeufs éclosent. Les bébés poulets sortent et le bébé aigle aussi. Il apprend comme les poulets à picorer du grain, et à se promener dans la basse cour. Mais voilà qu'un jour un aigle passe au dessus d'eux; le bébé aigle se sent des envies de remuer les ailes; il dit aux bébés poulets: "Comme ce serait formidable de pouvoir voler comme cela! Comme j'en ai envie!" Mais ceux-ci lui répondent: "Idiot! Ce n'est pas possible! Il faut être un aigle pour cela!"

Oui: "Connais-toi toi même!"

Personne à ma place ne peut dire ce que je suis, ce que je peux faire, ce que j'ai envie de faire.

C'est moi qui peux explorer ma propre personnalité: me connaître.

Quel rapport avec l'amour, notre thème d'aujourd'hui?

Eh bien, c'est qu'il s'agit tout simplement d'être heureux, pour rendre les autres heureux.

Car s'aimer soi-même, c'est le point de départ.

Pour paraphraser un passage célèbre de Saint Jean: "Celui qui ne s'aime pas lui-même, alors qu'il se voit constamment, comment peut-il prétendre aimer les autres, qu'il connaît moins?"

S'aimer soi-même, c'est chercher ce qui nous fait plaisir; c'est chercher à découvrir ce que l'on aime vraiment. C'est accepter d'être différent de ce que l'on croyait être.

C'est pourquoi je dirais:

Connais-toi toi-même! pour être heureux.
Accepte-toi toi-même! pour être heureux.
Aime-toi toi-même, et tu aimeras les autres.

Se connaître soi-même est difficile; c'est un effort permanent de lucidité, d'approfondissement intérieur, d'apprentissage de la liberté.

S'accepter soi même en est inséparable; si on refuse ce que l'on est, on ne fera aucun progrès dans la recherche du bonheur.

S'aimer soi-même, qui est facilement considéré comme égoïste, est indispensable pour apprendre à aimer vraiment les autres.

Donc: cherchons à être heureux, pour rendre les autres heureux. Acceptons-nous nous-mêmes.

Pour terminer, je voudrais vous lire un texte que j'aime (*):

"Commence en toi-même l'oeuvre de paix, afin que, pacifié, tu puisses apporter la paix aux autres" (**). (..)

"Tu aimeras ton prochain comme toi-même" (..): s'aimer soi-même et aimer les autres vont ensemble.

"Celui qui est dur pour lui-même, pour qui serait-il bon?" dit l'Ecclésiastique.

En pratique: ne t'en veux pas pour ce qui s'est passé, pour ce que tu as fait, pour ce que tu as dit, pas dit (..). Tu as raté peut-être toute cette période de ta vie; tu viens de dire des paroles blessantes à cet être cher.

Ne te blesse pas davantage maintenant. Ne remue pas le fer dans la plaie. Ce dont tu as besoin pour ta blessure, c'est de baume et de douceur. Sois ton propre bon Samaritain.(..) Ne continue pas le cycle de la méchanceté. Regarde le ciel bleu, fais la sieste, et va au cinéma.

Faudrait-il donc se pardonner? Et souvent? Je réponds: je ne te dis pas de te pardonner sept fois, mais soixante-dix-sept fois sept fois. Sinon, comment apprendrais-tu à pardonner réellement aux autres?

Et sans doute c'est dangereux. Mais pas dans le sens qu'on croit.

Car si tu romps avec la routine de l'agressivité, si tu rentres toi-même dans le cycle de la bonté,

Tu as des chances de te transformer toi même (..).
Tu risques de devenir miséricordieux envers autrui,
Chose si rare!

(*) Texte de Jacques Buisson
(**) St Ambroise

Note complémentaire: Les idées ci-dessus se retrouvent au moins pour une part dans le livre de Thomas d'Ansembourg "Cessez d'être gentil, soyez vrai!" (Editions de l'homme 2001)

- 49 -

Et si c'était vrai?

L'histoire se passe dans l'au-delà, dans quelques années.
Je viens de mourir, et me trouve en présence de Jésus.

"Je suis bien content, lui dis-je, de ne plus être sur terre, car cela va de plus en plus mal là bas. Je plains ceux qui vont vivre après moi. Oui, je suis bien content d'en être sorti."

Mais Jésus répond: "Tu te trompes, tu n'en es pas sorti du tout: il faut que tu apprennes la compassion.

"Tu vas accompagner, un peu comme un ange gardien, des personnes qui souffrent actuellement sur terre jusqu'à ce que tu sois déchiré par leur douleur comme si c'était la tienne.

"Certains chrétiens comprennent pendant leur vie que c'est cela, mon royaume. Pour les autres, il leur reste à l'apprendre après..."

(P.S.: Quand je serai là-haut, je tâcherai de vous faire savoir si j'avais bien deviné)

La liturgie

Est-ce que j'ai des péchés?
Un Kyrie qui prend son temps
Heureux sommes-nous d'être invités...
Memento - Nouveau monde
Un chapelet chanté?
De la diversité liturgique à l'oecuménisme

- 50 -
Est-ce que j'ai des péchés?

Je suis souvent gêné par l'automatisme avec lequel au début des messes, après un signe de croix rapide (j'aimerais qu'il dure 30 secondes !) et quelques phrases d'introduction, on passe, sans trop de préparation à la récitation du Je confesse à Dieu.

J'aimerais avoir le temps d'abord de me poser calmement la question: "Est-ce que j'ai des péchés? Est-ce que je ressens en moi que j'en ai, est-ce que je le reconnais?".

Ce temps de réflexion interne réaliste, détendu, permettrait de "remettre à plat" ce que l'on est; de se regarder calmement, sans culpabilité . De faire le point.

On serait alors mûr pour se tourner vers le Seigneur et son amour rayonnant.

Autrement dit, le plus souvent nos messes vont trop vite et sont trop automatiques, ritualisées!

Elles ne sont pas une rencontre qui prend son temps, une réflexion, une série de temps de prière, mais une succession d'étapes toutes faites.

- 51 -

Un Kyrie qui prend son temps

A la messe de semaine à laquelle je participe, le Kyrie est chanté.

Et un jour le prêtre a proposé que l'on s'arrête longuement après chaque invocation: pour prendre le temps de repenser à nos attitudes pécheresses; et *éventuellement pour les énoncer à haute voix* (l'assemblée est charismatique).

J'ai apprécié ce temps qui nous était laissé pour entrer vraiment dans la messe, en nous remémorant des situations où nous sommes loin d'agir avec un amour parfait.

On a pris le temps qu'il fallait.

- 52 -

Heureux sommes-nous d'être invités...

Voici deux fois, en quelques jours, que je participe à des eucharisties présidées par notre évêque.

Et j'ai remarqué la phrase qu'il dit avant la communion, à la place du classique "heureux les invités".

Je cite de mémoire:

"Heureux sont les hommes, car ils sont tous invités au repas du Seigneur!

Et heureux sommes-nous d'avoir entendu cet appel, car voici l'agneau de Dieu, ..."

C'est beau, cette ouverture à tous les hommes!

- 53 -

Memento - Communion

Deux brèves notes, liées à la messe à laquelle j'ai assisté ce midi:

- Pour le mémento des défunts, au lieu de dire "Souviens-toi de nos frères qui se sont endormis...", le prêtre a dit "*Souviens-toi de toutes les personnes...*".

L'emploi du mot "personne" m'a frappé; j'ai pensé qu'il l'avait dit à la place de "hommes", pour inclure les femmes. Mais cela évite aussi de limiter notre prière à nos "frères" (et soeurs) pour comprendre tous les hommes.

Cela les comprend... sous réserve qu'ensuite on ne dise pas "qui se sont endormis dans l'espérance de la résurrection", car cela élimine un peu trop de monde... La prière eucharistique 3 est un peu mieux de ce point de vue, puisqu'elle parle des "hommes qui ont quitté ce monde et dont tu connais la droiture".

Tout autre chose: pendant la procession de communion un air très doux a été joué sur une cithare.

Il m'a fallu un certain temps pour reconnaître, dans ce qui semblait être un cantique... le début du deuxième mouvement de la Symphonie du Nouveau Monde: tout à fait un Negro Spiritual!

Ce que confirment d'ailleurs les articles à ce sujet que l'on peut trouver sur le web.

———

- 54 -

Un chapelet chanté?

A la fin de la messe d'aujourd'hui 13 mai, fête de Notre Dame de Fatima, nous avons chanté le très beau "Je vous salue Marie" de Frère Jean-Baptiste de la Sainte Famille.

L'animateur de chant nous l'a fait reprendre une deuxième fois; puis une troisième. Eh bien, ai-je pensé, nous voilà partis pour chanter une dizaine de chapelet! Et je me suis réjoui.

Ce serait bien en effet si le chapelet était quelquefois chanté, et avec cet air-là (et ces paroles-là)!

Ce serait mieux que la répétition parfois lugubre de paroles marmonnées à toute allure. Peut-être y a-t-il d'ailleurs des endroits où cela se fait?

- 55 -

De la diversité liturgique à l'oecuménisme

Au lieu de messes "toujours les mêmes" où on déroule le rituel, et sans aller jusqu'à faire complètement de ce moment "une rencontre qui est une messe", ne pourrait-on pas prendre parfois plus de libertés?

Je suppose que c'est notamment la crainte pour le prêtre d'être "dénoncé", et corrélativement l'obligation pour l'évêque de "rappeler à l'ordre" ceux qui s'écarteraient du missel romain, qui bloquent la situation.

Pourra-t-on aller un jour vraiment vers une diversité acceptée, assumée?

Je me dis que pour cela il faudrait que chacun - chaque chrétien, chaque prêtre - accepte que l'autre pense différemment, s'exprime différemment, agisse différemment, au sein de l'église; tout en respectant bien sûr l'esprit de la tradition eucharistique.

Accepter que l'autre voie les choses différemment, c'est se mettre à penser en termes de dialogue: au lieu de désapprouver ce que fait l'autre, on admet qu'il est différent, et on lui demande d'expliquer pourquoi il célèbre la liturgie comme il le fait, sans préjugé aucun; pour apprendre de lui quelque chose de nouveau.

Cela ressemble furieusement à l'oecuménisme! Qui ne peut progresser que si entre chrétiens de traditions différentes on écoute l'autre, on admet qu'il est différent et on essaie de prier ensemble et de s'aimer.

C'est aussi de la relation à la vérité dont il s'agit ici. Chez les catholiques c'est, de fait, le Pape qui semble la définir, sous couvert de l’idée de “tradition” à laquelle on fait porter beaucoup de choses.

Peur de la liberté? Absence de confiance en Dieu?

Absence d’audace évangélique?

Florilège

Tristesse?
Le viol, "péché contre la chasteté" !
Langue de buis
Masturbation “licite”...

- 56 -

Tristesse?

Le prêtre à la messe aujourd'hui, au moment de la prière pénitentielle, nous a invités... à demander pardon pour les moments où nous sommes tristes!

Qu'est-ce que c'est que cette religion? Est-ce que Jésus lui-même n'a pas été triste, à plusieurs reprises? Est-ce que la tristesse n'est pas un sentiment tout à fait naturel?

Il y a du volontarisme là dedans (mauvais usage de la volonté), et peut-être une confusion avec les "motions intérieures" dont parle Saint Ignace.

"Soyez toujours joyeux" dit Saint Paul (1 Th 5,16). Oui, c'est un objectif spirituel valable. Mais notre chemin dans cette "vallée de larmes" comprend des moments bien naturels de tristesse, de peur, etc.

Au lieu de voir le péché dans tous les sentiments que nous avons, et de nous bloquer intérieurement, voyons le péché dans le manque d'amour du prochain, et cela suffit.

Colère? Oui, en entendant ce prêtre, j'ai été en colère: parce que l'on enseigne aux jeunes (il y en avait beaucoup à cette messe), et aux moins jeunes, des idées erronées. Alors que seul l'amour compte!

Cette colère est-elle un péché? Le père Duval Arnould explique que les passions font partie de la nature humaine, et que le péché, c'est le désordre des passions. On parle parfois de "sain(t)e colère"...

- 57 -

Le viol, "péché contre la chasteté" !

Je parcours le “Catéchisme abrégé" de l’Eglise catholique, qui est proposé notamment pour la catéchèse.

A la question 492, “Quels sont les principaux péchés contre la chasteté?” Outre “l’adultère, la masturbation, la fornication, ..”

(franchement quel ordre bizarre des mots!),

on trouve “... la pornographie, la prostitution, *le viol* ...”.

Le viol, péché contre la chasteté! J’imagine, j’espère, que le viol est d’abord cité dans les crimes, et dans les péchés contre la charité - qui sont les seuls véritables péchés: les péchés éventuels “contre soi-même” étant à apprécier eux aussi à l’aune de la seule charité.

Il aurait paru souhaitable, si vraiment on veut citer le viol dans le cadre de cette page, que ce soit fait sous la forme d'un renvoi à la partie relative aux crimes, si elle existe.

Et qu’un lecteur naïf et primaire, qui voudrait apprendre la chasteté, ne pense pas que le viol ce n’est après tout pour l’église qu’un péché moins important que la masturbation, puisque cité après!

Cela me paraît scandaleux.

- 58 -

Langue de buis

Notre diocèse vient de terminer son "synode": un mot qui n'est connu que des chrétiens, et même, de certains chrétiens; un mot pour usage interne. Le mot "diocèse" lui aussi est un mot interne... Dans un autre groupe social (je n'ose pas dire dans une association) on parlerait peut-être d'assemblée départementale, expression que tout le monde comprendrait.

Les titres des "priorités synodales" sont typiques de cette "langue de bois", enfin on dit "langue de buis" c'est plus poli:

"Oser être une église"... avec comme premiers sous-titres

- "pour ouvrir l'Évangile à ceux qui... " (etc),

- "pour vivre l'Évangile du partage...",

- "pour célébrer l'Évangile...",

Et de même ensuite les chapitres du livret contenant les "motions synodales":

- "un appel à une participation renouvelée à la Pentecôte"

- "un appel à une participation renouvelée à la communion née à la Pentecôte"

- "un appel à une participation renouvelée à l'Esprit de Pentecôte et à la mission"

Pour paraphraser Soeur Emmanuelle s'adressant à Mgr Lustiger: "Mais enfin, est-ce que Jésus-Christ s'exprimait ainsi?"

Est-ce que les pauvres et les petits l'auraient compris?

Entre chrétiens, dans nos paroisses, nous ne parlons déjà pas ainsi! Nous parlons beaucoup plus simplement!

C'est une langue de clercs... Quand aurons-nous, en tant qu'Eglise, une langue simple d'amour, qui parle aux hommes?

- 59 -

Masturbation “licite”...

“Courrier International” n° 745 du 10 février p.55 signale un nouveau guide sexuel publié est-il dit avec la bénédiction du Vatican: “Peccato non farlo” - ce qui veut dire à la fois “C’est un péché de ne pas le faire” et “Dommage de ne pas le faire”, avec comme sous-titre “Tout ce que vous avez toujours voulu savoir sur le sexe mais que l’Eglise n’a (presque) jamais voulu vous dire”.

Ce livre fait apparemment suite à un discours où Jean-Paul II affirmait que le phénomène croissant des enfants uniques est une menace sérieuse pour l’avenir de l’Italie.

L’objectif du livre est notamment d’aider les couples à surmonter impuissance et frigidité.

Je cite toujours “Courrier International”:

“Le septième ciel n’est pas au rendez-vous? La masturbation est licite après un rapport si la femme n’a pas atteint l’orgasme, écrivent-ils, citant plusieurs théologiens.”

Ce mot “licite” me fait penser au livre de Marc Oraison “Une morale pour notre temps“, où il déplorait que la morale soit définie en termes de permis et d’interdit, alors qu’il s’agit d’amour et de situations toujours nouvelles, avec des avantages et des inconvénients à chaque décision.

L'Église

Le peuple de Dieu !
Pas de femmes prêtres?
"Tout sur terre doit être ordonné à l'homme"
Parler pour être compris
Qu'avez-vous quitté?
"Ici vous pouvez parler avec des chrétiens"
Le manuscrit du Saint Sépulcre
Le dernier pape...
Au revoir, "Père Lustiger" !

- 60 -

Le peuple de Dieu !

Deux ou trois phrases passionnantes *sur le peuple juif* et sur le Nouveau Testament, dans le compte rendu que publie La Croix de la session nationale du Service catholique des relations avec le judaïsme.

Par rapport au peuple juif, il s'agit, a dit Mgr Lustiger, de bien plus que "d'un contentieux qu'il faudrait guérir ou expurger".
"La définition de l'Église doit comprendre dans la notion de Peuple de Dieu cette altérité qu'est le peuple juif".

Je ne me rappelle pas avoir déjà lu ou entendu quelque chose d'aussi fort: *le peuple de Dieu comprend le peuple juif.* Evident pour certains chrétiens, qui sont convaincus que l'histoire du peuple juif continue, et qu'elle continue à signifier quelque chose dans le plan de Dieu. Mais n'est-ce pas la première fois que c'est dit aussi nettement?

Poursuivant sur cette idée, Mgr Lustiger s'interroge alors sur ce que dit le Nouveau Testament, notamment dans les évangiles.

Il ne s'agit pas, dit-il, "d'éliminer des paroles gênantes. Il s'agit d'un travail de la foi et dans la fidélité à la foi qui consiste à comprendre pourquoi certaines phrases nous paraissent aujourd'hui inacceptables".

Ceci rejoint ce que j'écris dans "Le fait Jésus":[10]

---

[10] Pages 59 et 78 du livre.

" (...) le Premier Testament est "daté" : les auteurs avaient une mentalité, des préjugés, etc. qui demandent à être pris en compte dans sa lecture. Il est temps d'admettre qu'il en va de même pour le Nouveau Testament ; et que Jésus lui-même s'est exprimé en fonction de son époque."

" (...) le Nouveau Testament, comme l'Ancien, nous rapporte des faits situés dans le temps, selon la façon dont les hommes de l'époque de Jésus ont compris sa présence et son message."

- 61 -

Pas de femmes prêtres?

Je lis dans le blog de John Allen (en anglais) l'interview d'un théologien italien sur la question de l'ordination de femmes à la prêtrise. L'argument principal est que Jésus n'a jamais hésité à prendre des libertés avec les coutumes de la société juive et à s'écarter de ce qui y était accepté; si donc il a choisi uniquement des hommes comme apôtres, nous devons nous y tenir.

Peut-être.. Mais lorsque Jésus par exemple ne respecte pas le sabbat, il n'engage en fait que lui-même; et lui est capable de s'affranchir des règles de son époque. Tandis que les futurs responsables de l'Eglise vivront au coeur du monde quand il ne sera plus là. Il paraît donc logique que Jésus ait choisi les apôtres en tenant compte de la société au sein de laquelle ils auront à vivre.

L'argument ci-dessus me semble donc discutable. Notre société a changé; comme dans la parabole des talents, Jésus n'attend pas que nous conservions avec peur le "talent" qu'il nous a confié, mais bien que nous le fassions fructifier.

L'ordination de femmes célibataires serait d'ailleurs pour l'Eglise plus appropriée que celle d'hommes mariés, qui avec leur charge de famille seraient moins disponibles et moins mobiles.

Il reste me semble-t-il surtout une question sociologique: car il y a sans doute des régions du monde où l'ordination de femmes ne serait pas acceptée socialement.

L'Eglise peut-elle développer en son sein une diversité plus grande, et mettre en place dans certaines régions des solutions nouvelles? C'est une question qui ne se pose pas seulement pour l'ordination des femmes, mais pour bien d'autres sujets (liturgiques par exemple). Pourquoi cette peur de la diversité? Le centralisme romain est-il lui aussi voulu par Jésus et intangible?

- 62 -

“Tout sur terre doit être ordonné à l’homme”

La phrase ci-dessus figure dans les textes officiels de Vatican II: dans la Constitution “Gaudium et Spes” (”L’Eglise dans le monde de ce temps”) au paragraphe 12.

“Croyants et incroyants sont généralement d’accord sur ce point: tout sur terre doit être ordonné à l’homme comme à son centre et à son sommet”.

Dans le numéro du 2 septembre 2005 du “National Catholic Reporter“, le correspondant de ce journal à Rome, John Allen, rend compte d’une conversation qu’il a eue avec l’un des responsables de la Fraternité Saint Pie X (mouvement de Mgr Lefebvre).

“Il y a un certain nombre de points du Concile Vatican II avec lesquels nous ne sommes pas d’accord” dit ce responsable. Et il cite notamment la phrase ci-dessus, en ajoutant: “Le centre et le sommet, c’est Dieu”.

Intéressant en effet!

Comme quoi un Concile peut laisser passer des choses pour le moins discutables. Peut-être en 1965 voyait-on plus qu’aujourd’hui l’homme comme le roi de la création; depuis, on a peut-être acquis un peu de modestie. On peut noter aussi que ce fut la dernière Constitution adoptée par le Concile; signe peut-être de difficultés d’accord sur son contenu.

———

- 63 -

Parler pour être compris

Le journal paroissial, diffusé dans toutes les boîtes à lettres (eh oui, exceptionnellement), annonce fièrement pour ce Jeudi saint: “Mémoire de la cène du Seigneur”.

Ce n’est pas ce vocabulaire qu’il faut employer si on veut que les gens ne nous considèrent pas comme venant d’une autre planète.

Pourquoi ne pas dire: Fête du dernier repas du Seigneur? Cela aurait plus de gueule! C’est un peu ainsi que parlent les juifs, d’ailleurs.

Mais pour que l’on puisse employer ce vocabulaire en externe,... il faudrait prendre l’habitude de l’utiliser aussi en interne ! Espérons toujours!

———

- 64 -

Qu'avez-vous quitté?

Un groupe de jeunes fait une retraite dans une communauté religieuse.

Pendant son homélie le prêtre leur explique ce qu'est une retraite: quitter ce à quoi on est habitué.

Et il leur demande: "qu'avez-vous quitté?"

Le premier à lever la main répond: "le monde civilisé"...

Fou-rire des adultes.

Eh oui, on leur avait dit *de venir sans téléphone ni console de jeux...*

- 65 -

“Ici vous pouvez parler avec des chrétiens”

Sur le marché de La Celle-Saint-Cloud, un groupe oecuménique installe son stand (2005), chaque vendredi après-midi, sans rien proposer à vendre. Leur calicot annonce: “Ici vous pouvez parler avec des chrétiens” et en plus petit “Point Rencontre”, suivi en gros de “Venez et voyez”.

C’est “Prions en Eglise” qui rapporte cette initiative. Des bibles, des livres par exemple de Guy Gilbert, et le catéchisme de l’Eglise catholique sont sur la table, prétexte pour nouer un premier contact. “Ici on ne vend rien, on offre: un sourire, une attention, une disponibilité, éventuellement un service” explique l’un des participants qui ajoute “Nous semons sans savoir ce que nous récoltons, mais nous portons tout cela dans la prière”.

Les groupes de deux animateurs qui se relaient comprennent un catholique et un protestant. Ils prient à l’église voisine avant de prendre leur service.

“Prions en Eglise” mentionne d’autres initiatives similaires, et un livre de Jacqueline de Penanster “Dieu par dessus le marché” (Ed. dc l’Emmanucl).

- 66 -

Le manuscrit du Saint Sépulcre

Je viens de relire (2005) ce roman de Jacques Neyrinck (Cerf), que j'avais à peu près oublié.

A travers l'histoire fictive de la découverte d'un squelette sous le Saint Sépulcre, l'auteur aborde bien des questions passionnantes: critique vigoureuse du pharisaïsme de l'église catholique (voir notamment les pages 147 et suivantes), mais aussi... insistance sur les NDE comme une réalité incontestable, qui amène à voir la vie différemment! Et enfin, cerise sur le gâteau à laquelle je ne m'attendais pas, un pape qui quitte ses fonctions et ses vêtements, et abandonne Saint Pierre de Rome:

"Il n'est pas possible d'être le symbole de l'unité en résidant dans une église qui est l'emblème de la division".

J'ai regardé la date du livre: 1994! Déjà ancien! De mon côté, sur le sujet d'un pape qui démissionne, j'avais écrit en 1990 le texte "Le dernier pape".

(Voir ci-après)

- 67 -

Le dernier pape...

(Ph. Lestang - fiction)

J'ai écrit le texte qui suit en 1990.

Certains le jugeront provocateur. S'il est provocateur de réflexion et de dialogue, ce sera tant mieux!

J'espère que le nom que j'ai choisi ("Mgr Devars") n'est pas celui d'un évêque existant: sinon je prie qu'on me le dise, et je le changerai, car toute ressemblance éventuelle avec des personnes existantes serait (malheureusement?) purement fortuite.

L'histoire que je vais vous raconter se passe dans quelques années.

C'est l'histoire du dernier pape.

Certains des événements ci-après se situent en France, parce qu'il était français; mais cela se serait passé en Guinée s'il avait été guinéen; en Irlande s'il avait été irlandais.

Mgr Devars était archevêque de Toulouse; ses excellentes relations personnelles, son amitié même, avec de nombreux évêques du monde qu'il rencontrait lors de réunions de travail à Rome, ou lors des voyages auxquels il participait avec les commissions dont il était membre, firent que lorsque le Pape mourut et qu'on lui chercha un successeur, le conclave pensa rapidement à lui.

Le voilà élu, et il apparaît à la fenêtre du Vatican.

Comme ses prédécesseurs, il a les vêtements solennels de la circonstance; mais lorsque le moment est venu pour lui de prononcer un discours, son premier discours, il le fait avec une liberté de parole que l'on ne pourrait lui ravir qu'en osant l'interrompre, ce que personne dans la Curie n'ose faire, aussi stupéfaits soient-ils de ce qu'il dit.

"Jésus, explique-t-il, a confié son message à ses apôtres, en leur demandant d'être ses témoins. Il a chargé Pierre d'affermir ses frères et de leur servir de guide. Comme successeur de Pierre, j'ai conscience de l'importance de la charge qui m'échoit, et sais que je peux compter sur l'aide de Dieu pour l'accomplir.

"Jésus a vécu pauvre parmi les pauvres, méprisé par les riches, les puissants et les savants. "Les pauvres, a dit Jésus, vous les aurez toujours avec vous". C'est pourquoi il me semble que le successeur de Pierre ne doit pas être supérieur à son Maître. Il a vécu parmi les pauvres; je ferai de même, et vais quitter ce bâtiment dès aujourd'hui.

"Pour être parmi les pauvres en étant vraiment leur frère, je commencerai par aller vivre en France, à Paris, parmi les sans-logis et le "quart monde", dans les quartiers de banlieue les plus misérables. Ensuite peut-être j'irai dans d'autres pays.

"Ceci ne signifie pas que je renonce à mes responsabilités. Bien au contraire:

"Ma première responsabilité est de montrer aux hommes le visage de Jésus. C'est ce que je ferai par ce choix de vie.

"Ma deuxième responsabilité est d'affermir mes frères, c'est à dire de dialoguer avec les responsables des églises locales. Même si je vis parmi les plus déshérités, je consacrerai mes journées - outre à la prière - au travail et à des rencontres, dans des locaux pauvres que nous louerons en banlieue de Paris. S'il faut des salles de réunion, et il en faudra, nous les louerons également."

Le nouveau Pape, qui a choisi le nom de François en l'honneur du Poverello, poursuit; il explique notamment que les nominations d'évêques seront de son ressort en attendant que des formules plus collégiales soient trouvées, mais que pour ce qui est de l'administration de l'église, qui doit être considérée strictement comme un service coopératif rendu aux églises locales, un secrétaire général sera nommé.

En ce qui concerne l'autorité dans l'Eglise, c'est terminé: qu'il s'agisse de l'autorité disciplinaire, qui autorise ou interdit à celui ci ou à celle là de faire ceci ou cela; ou qu'il s'agisse de l'autorité théologique:

"L'Eglise doit devenir le lieu du dialogue dans le respect de l'autre; ceux qui ont une opinion pourront l'exprimer; ceux qui estimeront n'en pas avoir le pourront aussi. La capacité d'admettre que l'autre a une opinion différente, et de discuter avec lui sans violence ni reproche, sera la meilleure marque de l'amour.

"Une autre de mes fonctions est le dialogue avec les responsables des pays: j'irai les voir, s'ils veulent me recevoir, et je les recevrai dans ma banlieue, s'ils veulent y venir.

"D'autre part je suis un homme âgé: j'ai plus de 60 ans; je n'ai plus le dynamisme et l'énergie de la jeunesse, alors que les jeunes sont si nombreux dans le monde. C'est pourquoi je souhaite confier à un groupe de responsables de moins de 40 ans l'animation de la vie quotidienne de l'Eglise: vie liturgique, évangélisation, etc.

"Quant à vous mes amis, qui venez volontiers ici voir le Pape, et aussi à vous tous qui m'écoutez, je dis: faites, au moins une fois par an, l'effort de vous habiller aussi pauvrement que vous pouvez; allez dans les quartiers les plus misérables où vous oserez aller; passez y le même temps que vous auriez passé à venir voir le Pape.

"Cherchez Jésus là où il est".

Après ce discours, conclu par une bénédiction, le Pape se retire avec le cardinal secrétaire d'état; il quitte ses vêtements et revêt une simple soutane (se mettre tout de suite en civil choquerait trop au Vatican); puis il descend par les communs vers l'endroit où se font les livraisons; une camionnette est là, à sa demande, conduite par des soeurs qui sont ses amies; il s'installe à l'arrière, invisible. La camionnette va vers un petit aéroport où un avion l'attend.

Le voici bientôt en civil, en banlieue nord de Paris, dans les rues de Gennevilliers et de l'Ile Saint Denis.

Le soir, il va à Paris, cherchant des lieux abrités de la pluie.

Le lendemain, il téléphone au Vatican; mais quand il se nomme "François, animateur de l'église", on commence par lui raccrocher au nez, croyant avoir affaire à un plaisantin. Il obtient enfin le cardinal secrétaire et l'informe de ce qu'il a fait, et de ses projets.

Il demande au cardinal de désigner quelqu'un pour s'occuper en région parisienne des locaux pauvres nécessaires pour les réunions. Le cardinal proteste; il comprend que, par souci de marquer sa préférence pour les pauvres, le Pape aille quelquefois parmi eux; mais sa place habituelle reste à Rome, où d'ailleurs de nombreux dossiers l'attendent.

François décide alors de faire le voyage de Rome; mais en civil.

(L'histoire s'arrête ici; à chacun d'imaginer la suite)

- -

Post scriptum: Je découvre en octobre 2006 le livre "L'aventure du pape Hyacinthe", qui débute un peu comme mon récit!

"Hyacinthe, qui a fui le Vatican, est devenu chauffeur de taxi à Paris" Livre publié en 1991 ...

- 68 -

Au revoir, “Père Lustiger” !

9 8 2007

Jean-Marie Lustiger, Place de la Sorbonne, 22 mars 1964, nos fiançailles!

Oui, au revoir, car j’espère bien vous revoir!
Vous m’avez appris la foi, intransigeante, celle de Thérèse d’Avila:

“Solo Dios basta!”

Merci!

Quelques livres

Ils racontent les évangiles
Brian McLaren
“A Generous Orthodoxy”, livre majeur
Du “pays de l’ogre” à la liberté
Vatican 2035
Delumeau: “Un christianisme pour demain”
La religion de la Maison-Blanche

- 69 -

Ils racontent les évangiles

« Ils racontent les évangiles », de Catherine Lestang, fait parler des personnages des évangiles: que ce soit Pierre quand il va pêcher un poisson pour payer l'impôt, Marie quand Jésus reste au Temple pendant trois jours; l'un des « Soixante-douze » qui vient d'être envoyé en mission, ou encore Jésus lui-même, quelquefois !

On est pris, on partage les sentiments. L'émotion saisit, souvent, en lisant ces textes, tant ce qui est dit est à la fois bien vu et profond spirituellement.

C'est vraiment un livre pour faire découvrir les évangiles « autrement ».[11]

Catherine a publié six autres livres, sous le titre "Porteuse d'eau"; elle y utilise une double approche, psychologique et biblique, pour réfléchir sur des passages de l'Écriture.

---

[11] Voir aussi son blog http://giboulee.blogspot.com/

- 70 -

Brian McLaren

Une journée avec Brian McLaren, de passage à Paris, était organisée par "Evangile et Culture" et l'association oecuménique "Témoins".

J'étais intéressé par ses idées, mais en même temps je l'imaginais, vu le titre incroyablement long de son dernier livre, comme quelqu'un de farfelu. Je pensais que son "église émergente" était une sorte de truc complètement déjanté, mélangé de new age peut-être.

D'où ma surprise et ma satisfaction d'avoir rencontré quelqu'un de profondément humain, très oecuménique, très calme et extrêmement ouvert au dialogue avec chacun des participants.

L'une de ses nombreuses idées est de proposer que chacun de nous, dans l'Eglise à laquelle il appartient, tâche de trouver ce qu'il y a de positif dans les autres églises. Et il a commencé par montrer, au début de son exposé, comment les différentes traditions spirituelles chrétiennes l'avaient enrichi et quel aspect de la théologie est spécialement mis en avant par chacune.

"Pour dialoguer avec quelqu'un, ou pour faire dialoguer deux chrétiens, proposez que chacun raconte son itinéraire spirituel, et ce que le Christ est pour lui et a fait pour lui".

"Ce n'est pas étonnant que chacune de nos églises ait une idée négative des autres: elle voit venir vers elle ceux qui n'ont pas été satisfaits dans l'autre église; ceux qui sont satisfaits, et qui sont la majorité, elle ne les voit pas"...

Une très belle approche du christianisme, généreuse en effet!

- 71 -

"A Generous Orthodoxy", livre majeur

Le livre de Brian McLaren "A Generous Orthodoxy" n'a pas été traduit en français.

L'impression que me fait un livre en langue originale est souvent différente de celle qu'il me fait ensuite en français; là je suis bluffé.

Après un premier chapitre qui correspond au contenu de la conférence dont j'ai rendu compte ci-dessus, Brian McLaren consacre les trois chapitres suivants à Jésus et au salut.

Le chapitre 4, sur le salut, me paraît particulièrement remarquable et je ne pourrai en donner ci-après qu'un aperçu fort gauche.

Dans la Bible, dit McLaren, "sauver" signifie porter secours ou guérir, et pas "sauver de l'enfer" ou "donner la vie éternelle après la mort", comme tant de prédicateurs l'affirment implicitement dans leurs sermons.

Dieu sauve en nous révélant notre péché et en nous pardonnant; il sauve aussi en nous montrant quel est le bon chemin, en nous invitant à accepter la façon de vivre en plénitude que Jésus nous a révélée par sa vie et sa mort. Jésus sauve le monde, dans sa totalité.

Brian McLaren montre alors les limites de l'approche qui consiste à accepter Jésus comme son "sauveur personnel".

Dans les chapitres suivants il examine successivement un certain nombre de traditions chrétiennes, en montrant à chaque fois leurs richesses - le cas des anglicans par exemple est analysé de façon très intéressante - , mais aussi souvent leurs limites. Et c'est à ses frères évangéliques qu'il réserve ses flèches les plus dures...

Ce livre me paraît une pierre essentielle pour un véritable oecuménisme, où l'on sait voir les richesses de l'apport de chaque tradition, et où l'on intègre tout cela dans une vision tolérante, ouverte au nouveau monde "post-moderne" où nous entrons. Les relations avec les autres religions sont également évoquées de façon très pertinente.

- 72 -

Du “pays de l’ogre” à la liberté

Après avoir relu, avec toujours plus d’émerveillement, “Le moine et la psychanalyste” de Marie Balmary, j’en reproduis ci-après juste un passage; mais il y en a des dizaines, bien différents les uns des autres, que j’admire.

C’est un des personnages du roman qui parle, pendant un échange sur la fausse idée de Dieu “ogre”, qu’ont beaucoup de gens:

“... les lieux de culte devraient être des temples-hôpitaux. On y arriverait malades, sous l’emprise de celui qui dévore; on y découvrirait des récits-médecins laissés par ceux qui en sont sortis avant nous, récits qui soignent et donnent des forces; des récits-cartes, des récits-guides pour sortir du pays de l’Ogre. On trouverait aussi des amis avec qui tenter la sortie.”

Génial, non?

- 73 -

Vatican 2035

Je viens de terminer le gros livre assez remarquable qui porte ce titre. Son auteur, qui avait choisi le pseudonyme de "Monsignore Pietro De Paoli", et dont il était dit qu'il voulait garder l'anonymat, était en fait Catherine Pedotti.

Après un chapitre initial qui peine d'abord à trouver son rythme, le récit ne se lâche plus. Il imagine le monde et l'Eglise catholique au long de la période 2007-2037. Le personnage principal, Giuseppe, sera l'un des papes de cette période. C'est presque un "thriller": les luttes et crises mondiales sont au coeur du livre, et l'Eglise participe très activement à des négociations souvent musclées où la mort est possible à chaque instant.

En parallèle se dégagent peu à peu des propositions pour l'Eglise. Elles sont éparses et peut-être serait-il bon de les rassembler. C'est une série de réformes et de changements d'orientation assez substantiels que propose notre "Monseigneur", dont les points de vue très ouverts feront grincer plus d'une dent, qu'il s'agisse de l'oecuménisme - que l'on croit longtemps absent du livre et qui resurgit vers la fin-, de l'ordination d'hommes mariés choisis par la communauté où ils vivent et au service de cette communauté, ou encore de l'homosexualité (avec un magnifique texte sur le mariage chrétien et la sexualité, page 525), etc.

Utile !

Delumeau: “Un christianisme pour demain”

Je connaissais bien sûr le nom de Jean Delumeau, et j’ai “La plus belle histoire du bonheur” qu’il a écrit avec André Comte-Sponville et Arlette Farge. Mais c’est en parcourant au hasard les “premiers chapitres” proposés en ligne par les éditions Grasset que j’ai découvert “Guetter l’aurore” (2003) et “Le christianisme va-t-il mourir?”(1977), regroupés maintenant sous le titre “Un christianisme pour demain”.

“Guetter l’aurore” examine en une série de textes très clairs la situation actuelle du christianisme ainsi que - c’est ce qui m’a surtout intéressé - “la pertinence scientifique du rejet de la transcendance”, l’idée de péché originel, diverses questions théologiques controversées, l’oecuménisme et l’interreligieux.

Ne pouvant évoquer tous les aspects de ce livre dense, je veux signaler particulièrement les chapitres 3 et 4, qui essaient de montrer que “l’univers et l’homme ne sont pas le produit du hasard”. Comme le dit un biologiste qu’il cite, “la finalité est une dame sans laquelle aucun biologiste ne peut vivre, mais qu’il est honteux de montrer avec (soi) en public”. Citant de nombreux scientifiques, et prenant notamment l’exemple de l’embryon, dont le développement réalise un programme c’est à dire un projet, Jean Delumeau décrit l’évolution comme un fleuve qui se fraie un chemin en fonction des contingences multiples qu’il rencontre, mais qui a bien pour projet la vie, puis l’intelligence. Que nous ne sachions pas où est le “programme” qui conduit cela (alors que pour l’embryon nous commençons à le connaître) ne change rien à l’existence probable d’un tel programme. [Cette dernière idée ne figure pas telle quelle dans le livre, mais il me semble qu’elle traduit bien ce qu’il explique notamment p. 63].

Le reste du livre et le livre “Le christianisme va-t-il mourir?” évoquent tout un ensemble de questions, les unes analogues à celles que présentait Jacques Duquesne dans son “Jésus”, mais exprimées avec plus de nuances, et les autres voisines de certaines de celles que je présente dans mon livre. Notamment sur l’indispensable tolérance à introduire entre églises chrétiennes, pour accepter la diversité au sein d’une même chrétienté enfin réunie.

Les réflexions historiques sont nombreuses et très utiles: par exemple sur le caractère relatif de la christianisation au Moyen Age, et l’apport des deux réformes, protestante et catholique; et aussi sur les mises en garde qui n’ont pas manqué à l’Eglise au cours des siècles contre son attitude de pouvoir temporel. Le premier procès qui a été fait à Luther, indique Delumeau, l’a été devant un tribunal chargé des questions financières! Normal, puisque l’action de Luther risquait de diminuer les ressources...

A travers toutes ces réflexions, dont il est impossible de faire entrevoir ici la richesse, Jean Delumeau propose au total une vision modérément optimiste. La situation actuelle, écrit-il notamment, représente un “retour au bon sens”. “Elle sera un bien si, grâce à elle, la Parole de salut est désormais présentée dans l’humilité, la pauvreté et la charité à des gens libres de la refuser”.

- 75 -

La religion de la Maison-Blanche

Le sociologue Sébastien Fath a publié fin 2004 le livre “Dieu bénisse l’Amérique” (Seuil), qui n’est pas contrairement à ce que j’avais cru un instant une réflexion sur le rôle de la religion dans les USA.

Certes l’auteur est spécialisé dans la sociologie des religions, mais celle à laquelle il consacre ses principales recherches dans ce livre est la “religion civile” américaine, qui n’est pas une nouveauté mais a pris avec J-W. Bush une ampleur considérable.

On l’a souvent signalé, Bush s'est servi de la religion beaucoup plus qu’il ne l'a servie; et le “messianisme” qui lui servait d’étoile était un messianisme terrestre, de réussite des USA et d’imposition au reste du monde de ce qui paraît bon vu des USA. C’est parfois beaucoup plus “In guns with trust” que “In God we trust”.

Il ne s’agit donc pas dans le sous-titre de ce livre ("La religion de la Maison-Blanche"), de “la religion à laquelle se soumet la Maison-Blanche”, mais bien de “**l’Amérique, nouvelle divinité tutélaire**”, dont la réussite matérielle est le seul critère de référence.

L’analyse approfondie de Sébastien Fath montre que si la situation a des points communs avec les terribles messianismes séculiers qui ont ravagé le 20° siècle, il existe heureusement des contrepoids dans les institutions américaines. Le pire n’est pas sûr, même si de fortes dérives apparaissent.

Ce livre dense et assez complet examine aussi bien sûr l’évangélisme américain, dans sa grande diversité. Ainsi par exemple est notée la différence entre les “prémillénaristes” (fondamentalistes essentiellement), qui attendent que les chrétiens soient enlevés au ciel, et les “post-millénaristes”, ouverts à l’oecuménisme et à l’amélioration de la cité terrestre. Un autre clivage majeur déjà évoqué par Sébastien Fath dans d’autres travaux ou articles sépare les pentecôtistes (eux-mêmes fort divers) et les biblicistes, pour qui c’est la Bible et non les manifestations de l’Esprit qui constituent la référence centrale.

"Échanges Chrétiens sur le Net"

- 76 -

"Échanges Chrétiens sur le Net"

"Echanges Chrétiens sur le Net" ("ECN") était une liste de discussion par courrier électronique, lancée en mai 1997, avec pour objectif de permettre des échanges entre chrétiens francophones (pas seulement catholiques) sur Internet.

La méthode utilisée, originale, était un peu différente des listes d'échange actuelles; elle préservait l'anonymat de ceux des participants qui le souhaitaient.

Chaque participant souhaitant contribuer à un sujet ou en ouvrir un envoyait son message à l'adresse mel de Philippe Lestang, qui se chargeait de répercuter, de façon éventuellement anonyme, ces messages à l'ensemble des inscrits sur la liste, *sous la forme d'une sorte de "revue" comportant normalement plusieurs contributions.*

La fréquence de parution" était donc irrégulière, selon les contributions reçues et leur longueur.

Une "modération" a priori était effectuée si nécessaire, et les contributions étaient éventuellement remises en forme (paragraphes, orthographe, etc.).

La liste comportait, vers la fin, plus d'une centaine d'inscrits. De nombreuses personnes différentes - qui ont ensuite éventuellement quitté le groupe - se sont exprimées au cours des plus de six cent "échanges" qui ont eu lieu.

La liste a cessé d'exister depuis longtemps.

Voici quelques thèmes qui ont donné lieu à des discussions entre les participants (ce ne sont que des exemples) :

Eglise et publicité; la confession; tolérance; création et évolution; le carême; manipulations génétiques; aimer les ennemis; contrat d'union civil; le pardon. La Bible sur le web. Signes ou absence de signes. Oeuvres et salut. Intelligence artificielle. Foi et évolution du monde. Dieu peut-il engendrer? Donner à tous ceux qui demandent? Le sabbat. Prier pour les morts? Jésus a-t-il connu la peur?

Une participante, dans un message qu'elle adressait à des amies, parlait d'ECN:

"*Voilà une liste à laquelle je suis abonnée depuis longtemps et que j'aime beaucoup car c'est paisible, oecuménique, fraternel.*"

"Personne n'est obligé de participer, certains se contentent de lire.

"Ayant au début de mon arrivée sur le net participé à plusieurs mailing lists chrétiennes je m'en suis désengagée (de toutes !!) étant donné l'ambiance pour le moins polémiqueuse. Ici ce n'est pas du tout le cas et donc j'y reste."

On trouvera ci-après principalement des messages dont je suis l'auteur, avec des extraits en général anonymisés de messages reçus.

Dans mon livre "Le Fait Jésus" j'ai repris deux textes que j'avais initialement écrits dans ECN: *"Une seule chose est nécessaire"* (FJ pp. 27-29, début du chapitre sur le péché); et *"Convictions, certitude"* (FJ pp. 23-25, fin du chapitre "Croire").

- 77 -

A propos des "Origines du christianisme"

(Émission de télévision)

D. me signale la réflexion d'un ami universitaire israélien:

Il n'y a pas un arbre juif dont se serait détaché un rameau chrétien qui aurait ensuite revendiqué l'ensemble de l'arbre; il y a une racine (le Premier Testament) dont sont sortis deux arbres: le judaïsme post-biblique et le christianisme. (..) En effet le judaïsme post-biblique - tel qu'il s'est constitué après la chute du Temple en 70, avec le repli du mouvement pharisien à Yavné et la mise par écrit de la loi orale (Mishna) qui a donné naissance par la suite au Talmud (commentaire de cette Mishna) - ce judaïsme post-biblique, donc, est pratiquement aussi différent du judaïsme biblique que le christianisme.

Merci, D., de la remarque intéressante de ton ami.

Avant d'en venir à cette remarque, je voudrais d'abord dire que j'ai suivi toutes les émissions "l'origine du christianisme", et qu'à part quelques erreurs par-ci par-là, et une tendance des producteurs à introduire un biais parfois gênant par leurs commentaires, je les ai trouvées (et je ne suis pas le seul)... surtout ennuyeuses! Je ne comprends pas qu'on en fasse tout un plat. Mais par moments, surtout dans quelques unes des dernières émissions, il y a eu des choses intéressantes pour des gens déjà un peu au courant.

J'ai trouvé, je dois dire, assez naturels les commentaires d'Emmanuelle Main (historienne, dont la religion éventuelle n'a pas été spécifiée) et du professeur (juif) Herr: toute cette affaire de l'église qui serait le "vrai Israël" est assez discutable, et on ne parle plus comme cela maintenant (encore que: les prières du canon catholique comprennent des expressions telles que "le peuple qui t'appartient", ne laissant donc aucune place à Israël, contrairement à ce que dit Saint Paul!)

Pour moi l'église ne *remplace* pas le peuple d'Israël: elle en est une continuation spirituelle. Et en ce sens je comprends la remarque de ton ami: il y a en somme deux continuations de l'Israël ancien; c'est à peu près semble-t-il ce qui se dégage des émissions de Prieur et Mordillat: "querelle entre deux tendances au sein du judaïsme".

Pour en revenir à la remarque de ton ami, il y a tout de même une question à éclaircir, que C. m'a fait remarquer:

Certes le judaïsme tel qu'il était pratiqué à Jérusalem a disparu à partir de 70, mais la *diaspora* avait, depuis bien avant, pris l'habitude de s'organiser autour de la synagogue.

Le judaïsme de la diaspora a-t-il changé de façon nette à partir de Jamnia/Yavné?

Si non, il n'est pas exact de parler de coupure par rapport à ce qui se passait "avant le christianisme"...

Certes il y a eu évolution, avec le rôle croissant du Talmud; mais rien de comparable à la rupture que constitue, comme l'a très bien montré Daniel Schwartz au cours de l'émission, l'abandon par Saint Paul et les chrétiens des trois piliers du judaïsme: le peuple, la loi, et la terre!

La terre, explique Daniel Schwartz, et notamment le temple, constitue pour les juifs le lieu de la présence de Dieu; mais dans le christianisme chaque croyant est temple.

(Quant au peuple et à la loi, il les a expliqués aussi mais c'est évident).

Bien à toi, dans la prière.

- 78 -

Le Dieu de l'Ancien Testament

La Bible expose la façon dont le peuple d'Israël a compris son histoire, et sa relation avec Dieu.

Je fais partie de ceux qui pensent que Dieu (unique) existe, et que, oui, il s'est révélé - progressivement - au peuple d'Israël. Donc, si on considère qu'il y a vraiment une révélation, un contact entre ce peuple et Dieu, la Bible raconte à sa façon ce que les générations successives ont compris, avec leur mentalité de l'époque, de cette relation entre un peuple et Dieu.

Pourquoi Dieu ne choisirait-il pas un peuple? Si on relit, d'un point de vue chrétien, l'histoire d'Israël et celle de l'Eglise, on peut y voir l'image de la relation de chacun de nous avec Dieu. S'agissant d'une relation personnelle entre YHWH et les hommes, il fallait un début: ce fut Abraham puis Moïse et le peuple juif.

Comme tu le dis, *la Bible* semble montrer que Dieu a aidé puissamment ce peuple. L'archéologie voit les choses un peu différemment - par exemple il n'y a semble-t-il jamais eu de conquête de Jéricho. Tu écris que les peuples vivaient paisiblement: c'est à voir! L'histoire, à toutes les époques, est faite de conflits, de guerres, de massacres. Israël n'était pas différent: et c'est cela qui est notable. Dieu prend ce peuple tel qu'il est, et essaie de l'éduquer. Une partie d'Israël comprend peu à peu qui est ce Dieu et ce qu'il attend. Une autre partie continue à penser en termes de pouvoir ("Est-ce maintenant que tu vas rétablir le royaume d'Israël?" Actes 1,6).

Tu dis - et c'est souvent une pierre d'achoppement en effet pour ceux qui lisent la Bible - que Dieu leur commande des choses abominables: notamment l'anathème, qui conduit à passer par l'épée tous les ennemis, même les nourrissons.

Il faudrait voir déjà, si je puis dire, si c'était la "coutume" à l'époque! Car, je le répète, ce peuple n'est pas meilleur que les autres. Il se comporte donc comme les peuples de son époque, et attribue éventuellement à Dieu plus que Dieu n'a réellement demandé. L'Eglise, et les chrétiens, n'ont pas forcément agi différemment ("Tuez-les tous..").

Il s'y ajoute, et là cela devient délicat, qu'un des aspects de l'éducation que Dieu donne à Israël concerne le caractère "séparé" de ce peuple: il fallait qu'il reste bien distinct des autres peuples; ce pourquoi les mariages avec les femmes étrangères ont été souvent interdits par les responsables. Ce caractère séparé du peuple était une étape pour découvrir le caractère séparé de Dieu, son infinie transcendance.

Education d'hommes de foi qui ont vraiment été en contact - à mon avis - avec le Très Haut; mais à travers une histoire très humaine.

Quelquefois je pense que nos descendants jugeront avec sévérité nos propres comportements (de consommation, de pollution etc.). Certaines attitudes peuvent paraître banales à une époque donnée (l'esclavage par exemple), et inadmissibles à une autre. Ne jugeons pas l'histoire d'Israël à l'aune de nos exigences éthiques, et, surtout, craignons le jugement de l'avenir sur nos propres actes!

Traductions, concepts

Chère C.,

Merci de lancer la discussion sur un tas de problèmes passionnants! Je constate que personne pour l'instant ne m'a envoyé de contribution pour vous répondre, alors je me lance.

Oui, les mots ont souvent plusieurs sens, et les diverses significations ne correspondent pas au même mot en français! D'où le doute pour les traducteurs...

Puisque vous parlez des Béatitudes, je vous signale un petit livre que j'ai connu par l'association Marcel Jousse (http://www.marceljousse.com) et qui est la traduction en français d'un extrait de la "Peschitta", texte araméen très ancien des évangiles. Ce livre s'appelle "L'évangile en araméen, Matthieu 5-7", (abbaye de Bellefontaine, spiritualité orientale n° 80).

Monseigneur Alichoran, prêtre chaldéen, explique par exemple dans ce livre que, dans sa tradition, "Heureux ceux qui pleurent" ne signifie pas du tout ce que nous y voyons: pour l'église chaldéenne (qui utilise l'araméen depuis les origines et jusqu'à maintenant), les "abilé" ("qui pleurent") sont "des gens qui ont quitté le monde parce que ce monde n'est pas la source de leur joie (..); ils pleurent sur les péchés du monde (..); il y a une catégorie de moines qui s'appellent comme cela".

On voit que l'idée même derrière le mot est différente!!

D'autres membres d'ECN parleront sûrement du Notre Père, redoutable! ("ne nous fais pas entrer dans la tentation"? Qu'est-ce que l'on comprend par là, si on considère que c'est ainsi à peu près qu'il faut comprendre le grec?)

Je suis partisan de chercher à énoncer la foi comme nous la comprenons, au XXI° siècle; et il est vrai que les mots, les concepts, les visions du monde d'il y a 2000 ans sont souvent assez inadaptés.

Il faut donc tenir les deux bouts: dire comment on comprend la foi aujourd'hui; et garder le lien avec la tradition et surtout avec la Parole elle-même. C'est un immense programme!

Sur les mots "justification", "rédemption", etc., la remarque que je viens de faire s'applique: la notion d'homme "juste" devant Dieu n'a guère de signification pour les hommes d'aujourd'hui; par contre si on dit qu'il s'agit de pouvoir être dans une relation juste avec Dieu, cela s'éclaire. La notion de "rachat" quant à elle (acheté à qui?) n'a plus de sens.

Je vous signale, si vous ne le connaissez pas, l'excellent livre de Bernard Sesboüé "Jésus-Christ l'unique médiateur" (Desclée, collection Jésus et Jésus-Christ n° 33). Il comporte une réflexion magistrale sur le fait que beaucoup de concepts sont des essais d'approche de réalités qui nous dépassent; et qu'il ne faut surtout pas pousser trop loin ces thèmes (rachat, expiation, etc.) qui ne sont que des analogies.

Merci d'avoir ouvert cette discussion!

- 80 -

Carême

Echanges qui se sont étendus sur plusieurs semaines en janvier/février 2005

1)

Chère Z.,

Bienvenue, tout d'abord, dans ECN! Vous verrez que les relations y sont sympathiques et les échanges approfondis.

"Joyeux carême!" dites-vous, et j'admire cette belle expression. On parle de "face de carême" :-) Mais Jésus nous a bien dit: "Quand vous jeûnez, ne prenez pas un air sombre.." (Matthieu 6,16 traduction TOB).

Vous écrivez que vous ne "pratiquez pas", mais en fait vous voulez pratiquer le carême :-) Et "sérieusement" ! :-)

Que vous dire? D'autres répondront avec plus de compétence que moi, mais je vais essayer. Le carême n'est pas un but en soi: il est me semble-t-il une préparation à revivre la passion du Christ et sa résurrection pendant la semaine sainte.

Dans l'église catholique, il y avait autrefois des règles bien définies: il fallait faire ceci, et encore cela (p.ex. ne pas manger de viande le vendredi) pour être "en règle"!

Il y a sûrement des règles, et j'avoue que je ne les connais pas bien! :-(En particulier en effet je crois que le "maigre" du vendredi est une des règles du carême. Mais au delà des règles, ce qui compte aussi, surtout même je dirais, c'est l'esprit: la relation à Dieu!

Les prophètes de l'ancien testament ont critiqué les gens qui avaient un comportement de pénitence tout extérieur: "Déchirez vos coeurs, écrit Joël, et non vos vêtements".

Je viens d'employer le mot de "pénitence"; on parle aussi de *conversion*: "Revenez à Dieu de tout votre coeur!" écrit Joël dans le même texte (2,12-13).

Le plus important à mon avis c'est donc, comme toujours, la prière! Et puis effectivement on y joint des efforts de pénitence (désolé pour ceux qui n'aiment pas le mot effort, un peu passé de mode!); l'amour étant le centre de notre religion, je pense qu'une des formes d'effort les plus appropriées consiste dans de meilleures relations aux autres! Que ce soit le mendiant dans la rue, le conjoint, ou l'ami qui a besoin d'aide. Donner, se donner. Rien de bien neuf en somme, car c'est cela qui nous est proposé comme sens de la vie, et donc pour toute l'année :-)

Le jeûne et "l'aumône" sont, avec la prière, les piliers de notre carême. Comme dans l'Islam? Je ne sais pas; de toute façon les différences avec l'Islam seraient trop longues à décrire ici; et d'ailleurs il y a beaucoup de variantes de l'islam, et ce que nous en voyons dans nos quartiers est sans doute surtout une expression populaire, pas toujours très pensée théologiquement.

Je m'arrête: d'autres en diront plus.

Que l'amour de Dieu notre Père vous illumine toujours plus par Jésus-Christ!

Amicalement,
Philippe Lestang

PS: Je ne peux m'empêcher d'ajouter une note plus personnelle: vous dites que vous habitez à D. . Je me rappelle avoir passé la semaine sainte à F. - ce n'est pas très loin de D. - pour aider le curé, et chanter avec lui les offices ... en latin je crois: c'était il y a une éternité! Avant le Concile! En 1961...

2)

Cher A.!

Que de questions!!

- Jésus a-t-il demandé que l'on "fasse Carême"... ?

Le carême, cela n'existait pas sous cette forme avant que Jésus ne meure et ne ressuscite me semble-t-il. Par contre concernant le jeûne, il a dit (en substance) que quand il ne sera plus là "ils jeûneront" (Mt 9,15), et ailleurs il dit "Quand vous jeûnez.." (Mt 6,16).

Il a lui même jeûné avant de commencer son ministère... (Mt 4,2). Le carême, c'est un peu une façon de faire comme Jésus.

- Il y a quelque chose de pharisaïque dans le carême.

Pourquoi dis-tu cela? Si cela ne se voit absolument pas c'est exactement ce que Jésus a demandé, et donc c'est le contraire de ce qu'il reproche aux pharisiens. Je ne vois pas bien ce que tu veux dire.

- Carême générateur de mal et de souffrances?

Si un adulte l'impose à d'autres, ou à des jeunes, cela peut sans doute être compris comme quelque chose de masochiste, et surtout il peut y avoir mécontentement, refus, de la part de ceux à qui on l'impose.

En effet je pense que c'est normalement quelque chose qu'il faut décider soi-même. Et je crois aussi que cela ne doit pas être fait dans un esprit négatif, destructeur, mais plutôt, comme le dit la magnifique citation rapportée par B., dans un esprit de choix, d'allègement, de libération! Pas besoin de gros "sacrifices" pour cela; mais une conscience de la possibilité de renoncements, dans la joie et la prière, pour reconnaître que Dieu est pour notre coeur l'unique nécessaire...

- Privations inutiles, barbares...

Tout est une question de mesure, et surtout cela doit être esprit, vie, joie! Oui, renoncer à quelque chose peut quelquefois conduire à la joie!

Quant à la prière que tu places au début de ta contribution, concernant tous ceux qui n'ont pas à manger dans le monde, je la trouve très belle! Elle va quand même un peu loin: "si je *ne mangeais plus*"!!

J'ai connu moi aussi vers cet âge, à ma façon, ce désir de se donner, de donner ce que l'on peut donner, pour que les hommes dans le monde connaissent une situation meilleure. C'est un âge où d'ailleurs on envisage éventuellement de devenir missionnaire. Cela correspond à une étape de la spiritualité du jeune qui prie ainsi, et je suis sûr que le Seigneur apprécie et lui donne de multiples grâces.

Cela dit on sait bien que malheureusement le problème de la faim dans le monde a toutes chances de dépasser ce que ces prières individuelles peuvent changer. Mais ce n'est pas une raison pour ne pas faire le bout de chemin que l'on peut faire: la prière, le jeûne, et l'action. Et pour le reste de se tourner vers Dieu en lui disant, en pleurs: "Jusques à quand, Seigneur, y aura-t-il toute cette misère?"

Car la *question* posée par la prière de ces jeunes est double:

- Est-ce que mes "efforts" peuvent changer quelque chose au monde?

- Est-ce que Dieu attend de nous que nous fassions quelque chose pour que, "en échange", il donne au monde ce dont celui-ci a besoin?

Sur le premier point, je répondrais oui et non: je n'aime pas le mot effort, préférant l'ouverture à l'amour, pour que Dieu agisse à travers nous: il est beaucoup plus puissant que nous, et sait beaucoup mieux comment il convient que nous agissions. C'est l'ouverture à l'Esprit.

Sur le deuxième point, je réponds non: pas de marchandage, pas d'échange de ce genre; c'est Dieu qui donne, et s'est donné en Jésus. Donc si nous voulons nous aussi nous donner, c'est gratuitement, parce que nous avons compris combien l'amour rend heureux.

Mais pourquoi il y a du mal dans le monde, c'est tout le problème du mal, et je ne peux que renvoyer une fois de plus à l'excellent texte du Père Duval Arnould[12]. Je peux assurer les lecteurs d'ECN que ceux qui ont pris le temps de le lire ont apprécié.

Et je répète simplement ici ce qui en est le point essentiel: Jésus ne nous a pas dit *pourquoi* il y a le mal, mais il nous a donné la voie pour agir personnellement, pour avancer en ce qui nous concerne.

Pourquoi le mal, nous ne le savons pas, cela nous dépasse; mais pour chacun de nous, Jésus ouvre une voie d'amour et de paix intérieure, et c'est "quand même" fondamental! La croissance intérieure du royaume en nous n'a pas de limites, nous pouvons rayonner de louange et de charité; vivre confiants parce que l'amour de Dieu est devenu une réalité dans notre vie. Mais il faut, comme il le dit à Pierre dans le dernier chapitre de l'évangile de Jean, accepter que Jésus nous dise: "Que t'importe! Toi, suis-moi!", c'est à dire: "en ce qui te concerne, vis selon mon amour, et ne cherche pas à tout comprendre".

Fraternellement en Christ,
Philippe

---

[12] Que j'ai publié, avec son accord, dans "*Un dossier sur puissance de la louange*".

3)

Cher A. ! :-)

Te voilà toujours prêt à relancer les débats sur notre liste ECN ! Merci! Et merci aussi pour le caractère incisif de tes remarques et questions!

Personnellement j'en reste toujours à l'excellente citation proposée par B.:

"La pénitence, c'est l'amour qui se débarrasse de ce qui le gêne." (soeur Geneviève Gallois, OSB, La vie du petit saint Placide).

Dans tes remarques et réflexions, je note surtout le constat que tu fais d'une sorte de dualité en toi, entre ce que tu ressens "réellement" en toi (de l'égoïsme, du mépris, etc.), et ce que tu penses que tu devrais ressentir !! :-)

Et du coup tu dis que tu aurais tendance à baisser la tête et à te sentir coupable!

Tu écris aussi:

"En fait nous sommes confrontés à une terrible dualité, assumer notre instinct de survie et son cortège d'immondices qui est donné par la création, et le combattre pour nous élever vers Dieu...."

L'instinct de survie: indispensable! Et cela me permet de dire une des choses que je pense en te lisant; c'est qu'il est souhaitable, normal, de s'accepter soi-même comme on est! Et non, à mon avis de combattre ce que l'on est.

Je vois plutôt le "combat spirituel" comme du judo! Je suppose que tu vois ce que je veux dire: accompagner les mouvements du corps et de l'esprit, et non s'y opposer. Il faudrait il est vrai des pages pour expliquer cela, et en plus je n'ai que mon expérience personnelle, or chacun est différent.

Avec Dieu, l'idéal c'est que l'amitié que l'on développe avec lui soit sans honte: non pas parce qu'on n'est pas pécheur, mais parce que

Dieu sait bien comment nous sommes, et *il nous aime tel que nous sommes.* C'est donc cette amitié avec Dieu qui peut à l'occasion nous aider à trouver des chemins nouveaux, non pas qui s'opposent à notre personnalité, mais qui lui ouvrent comme des "vacances", qui lui proposent comme une bouffée d'air pur: des moments où l'on est heureux de comprendre un peu moins mal ce qu'est l'amour, et que l'on accepte sans honte; et puis on retombe dans le quotidien, sans honte non plus, en s'acceptant soi-même.

Cela me rappelle un texte sur l'indulgence (envers soi-même et envers les autres) que j'avais lu à des amis (membres d'ECN !) pour une fête qu'ils faisaient, à l'occasion de leurs 25 ans de mariage: se connaître soi-même, s'accepter soi-même; et ainsi accepter les autres, et acquérir "l'indulgence, cette vertu si rare". [13]

Car il ne s'agit pas, à mon sens, de mettre notre force en jeu, pour lutter contre le péché; mais au contraire de reconnaître, avec Thérèse de l'enfant Jésus, notre faiblesse: pour laisser Dieu nous porter!

Fraternellement à toi,
Philippe L

---

[13] Voir le texte 44, ci-dessus .

- 81 -

Jésus a-t-il eu peur?

A propos d'un livre de Lytta Basset, et d'une discussion sur un blog[14]

"Ma vie, nul ne la prend mais c'est moi qui la donne"
(d'après Jean 10,18)

Chers amis,

Chacun de nous, c'est clair, a une idée différente de Jésus! Je me plongerai dans le livre de Lytta Basset quand je le pourrai.

Pour l'instant j'en reste à ce que j'avais dit dans ECN 645:

(..) *pour moi avoir* le corps *qui se tord dans les affres de la peur parce que "la bête" ne veut évidemment pas mourir, c'est un automatisme physiologique. Je n'emploierais pas le mot peur à ce sujet.*

Jésus a trop souvent dit "n'ayez pas peur", et a tellement affirmé "le père et moi nous sommes un", que je ne vois pas ce sentiment négatif en lui.
(..) *pour moi c'est l'animal qui se révolte à l'agonie: Jésus doit soutenir le combat contre son corps, comme il devra le lendemain soutenir son dernier combat physique contre la violence déchaînée contre lui."*

Dans le même sens, à propos d'un texte du Père Sevin qui affirmait que Jésus ne savait pas de quelle façon il allait mourir, j'ai écrit notamment:
"Qu'est-ce qu'un homme, quand il est complètement habité par l'amour? La réponse me paraît simple: c'est quelqu'un qui fait

---

14 "Je ne juge personne" - http://chemin.blogspot.com/2005/01/la-peur.html

éclater les limites de la condition humaine à un tel point que même la mort ne peut plus rien contre lui: c'est Jésus!"

On dira: mais alors, pourquoi cette phrase "Père, s'il est possible, que ce calice passe loin de moi!"?

Il est difficile de comparer les situations que nous vivons à celle qu'a vécue le Christ ce jour-là, mais j'imagine certains chrétiens ayant beaucoup de foi, face à un événement extrêmement dramatique et qui semble inéluctable (comme la mort imminente d'un enfant), dire une prière de ce genre sans qu'il y ait de "peur" en eux...

J'admets qu'on puisse ne pas partager mon point de vue!

B. a dit que nous sommes "un". Cela nous entraînerait dans un débat psychologique fort long. Pour moi, la conscience, c'est notamment la capacité à prendre de la distance par rapport aux spontanéités du corps. Saint Paul écrit par exemple "Je réduis mon corps en esclavage" (1 Co 9,27).

Quelques citations encore:

"De crainte, il n'y en a pas dans l'amour", "Le parfait amour bannit la crainte" "Celui qui craint n'est pas accompli dans l'amour" (1 Jean 4,18).

"Ne craignez pas ceux qui tuent le corps" (Matthieu 10,28).

"Il partagea (notre) condition, afin (..) de délivrer ceux qui, par crainte de la mort, passaient toute leur vie dans une situation d'esclaves" (Hébreux 2,15).

A priori, pour moi, c'est d'abord à partir de l'écriture qu'il faut argumenter, et non à partir de nos opinions personnelles.

P. cite aussi la phrase sur la croix, "Mon Dieu, mon Dieu, pourquoi m'as-tu abandonné". C'est ici une autre question, difficile à discuter en quelques phrases. Il s'agit de savoir si, comme les évangiles l'affirment, Jésus savait qu'il allait ressusciter! S'il ne le savait pas, cette phrase est peut-être du désespoir, mais alors les évangiles nous racontent des histoires en disant que Jésus avait annoncé sa résurrection. Sinon, c'est la prière jusqu'au bout, avec le psaume 22 (21), approprié à la situation:

"ils ricanent et hochent la tête" etc.

et une longue seconde partie positive, dont:
"La terre tout entière se souviendra et reviendra vers le Seigneur"

Après la mort...

Cher O.,

A propos du décès d'un athée, tu soulèves la question de ce qui se passe après la mort, et tu ajoutes:

On ne peut pas dire que l'Evangile soit rassurant concernant l'avenir des non-croyants après leur mort: "Qui croit en lui n'est pas jugé; qui ne croit pas est déjà jugé, parce qu'il n'a pas cru au nom du Fils Unique-Engendré de Dieu." (Jn 3:18). Certes, d'autres versets sont moins catégoriques: "Ceux qui auront fait le bien ressusciteront pour la vie, ceux qui auront fait le mal, pour la damnation" (Jn 5:29). Finalement, la phrase la plus optimiste, citée dans le catéchisme de l'Eglise catholique à propos du jugement après la mort, est de Saint Jean de la Croix: "Au soir de notre vie, nous serons jugés sur l'amour."

La première chose à avoir en tête, c'est que ... nous ne savons pas! Le meilleur livre sur la question est de Urs von Balthasar "Espérer pour tous": il y a dans l'évangile des affirmations "dans les deux sens", et il n'est pas possible de choisir les unes plutôt que les autres.[15]

En ce qui me concerne, je prends au sérieux les mises en garde de Jésus, que je comprends comme voulant dire qu'après la mort il y a encore des enjeux essentiels d'amour et de haine, et que nous devons nous y préparer. Je ne vois pas du tout la vie après la mort comme un univers binaire, où il y aurait d'un côté "le Ciel" et de l'autre "l'enfer".[16]

---

[15] Voir "Le fait Jésus" p.52-53.

[16] Voir "Le salut, l'au delà" http://plestang.free.fr/notes.htm#11

Tu demandes ce qu'il en est des athées après la mort. Je dirais: la même chose que pour tous les hommes! C'est d'amour dont il s'agit.

Ce qui, il est vrai, amène à la question suivante: pourquoi alors annoncer l'évangile, pourquoi inviter les hommes à se convertir à Jésus-Christ?

Eh bien tout simplement pour leur faire partager la grande joie que nous avons de comprendre le sens de la vie: aimer!

Le salut, c'est cela pour moi: avoir compris que le sens de la vie, c'est l'amour *tel que Jésus nous l'a montré* (et nous a rendu capables de commencer à vivre).

Tant que l'on n'a pas cette boussole, on est .... perdu! On n'a pas le vrai sens de la vie.

Fraternellement à toi, en Christ.

- 83 -

Unité des chrétiens

Cher M.,

Unité des chrétiens: tu soulèves là un vaste et difficile problème! Bien douloureux aussi!

Il y a le niveau individuel: comment chacun d'entre nous, chrétien, se comporte-t-il vis à vis des chrétiens d'autres confessions? Est-ce que nous les considérons comme "aussi chrétiens que nous"? Est-ce que nous les considérons comme des frères bien-aimés en Christ?

Ce qui, de mon point de vue, est aussi pratiquement le comportement que nous devons avoir avec tout homme - je ne parle pas ici de ceux qui font des crimes contre l'humanité, autre problème. Qu'il s'agisse d'un bouddhiste, d'un musulman, d'un athée anticlérical, etc., je peux, si je demande au Seigneur d'ouvrir mon coeur, avoir avec lui une tendresse amicale, une vraie fraternité. Et une vraie écoute de ce qu'il pense, et de ce qu'il y a de vrai dans ce qu'il dit.

Et puis bien sûr il y a le niveau des églises, qui dépasse chacun d'entre nous individuellement.

Quand une église osera-t elle aller jusqu'à dire aux chrétiens des autres confessions:

"Je vous reconnais comme mes frères chrétiens, sans restriction ni condition, et sans aucune différence avec les membres de ma propre confession, en acceptant que vos convictions soient différentes des nôtres... *et ceci, même si vous en sens contraire ne nous reconnaissez pas comme vos frères chrétiens!*

Cela supposerait il est vrai de donner plus d'importance à la charité qu'à la doctrine et à la tradition...

Et à ce sujet, puisque tu parles du corps mystique du Christ, il est pour moi tout simplement constitué de tous les chrétiens sincères et ouverts à l'Esprit. Et il y en a autant chez les orthodoxes, les évangéliques, etc. que chez les catholiques.

L'eucharistie a beaucoup d'importance pour moi, mais je respecte le fait que pour d'autres confessions chrétiennes elle n'ait pas le même sens, et ce n'est pas là pour moi le point crucial, au XXI° siècle.

Vivons l'amour, au lieu de donner la priorité aux célébrations!

Nous aurions ainsi une église unique, "hybride" en quelque sorte, qui garderait les richesses de la tradition mais accepterait et respecterait aussi à égalité, dans l'humilité et la joie du Seigneur, d'autres façons de prier et de célébrer.

Amicalement.

- 84 -

Le Seigneur et nos demandes

Un participant d'ECN écrit:

Quel est le rapport entre le mal qui existe et l'exaucement de la prière tournée vers une demande pour éloigner le mal?

Quelle est l'intervention active de Dieu dans l'Histoire et dans le destin personnel de ceux qui prient?

Je ne vois pas en quoi objectivement la prière peut éloigner un malheur (la maladie par exemple).

Cher J. !

Merci de ta contribution, qui soulève des questions essentielles.

C'est de la prière que tu parles, et non du mal dans le monde.

Je commence toutefois par parler un tout petit peu de ce problème du mal. Le meilleur texte que je connaisse est une conférence du Père Duval-Arnould [17]:

"Jésus ne nous a pas dit d'où vient le mal; mais il nous donne le moyen de lutter contre lui, en nous et autour de nous".

Concernant la prière, certains textes de l'évangile peuvent donner l'impression que si on a suffisamment de foi, on peut demander n'importe quoi. D'autres textes pourraient faire penser que l'on peut, de même, être guéri de n'importe quelle maladie.

Le "Notre Père" comprend d'abord des phrases où l'on se place dans la volonté de Dieu et dans le sens de la venue de son règne. Notre "pain quotidien" est-il seulement, ou d'abord, du pain "terrestre", ou bien est-ce aussi et d'abord de vivre aujourd'hui dans l'Esprit, dans la grâce? Quant au "mal" auquel il ne faut pas succomber, c'est évidemment le péché. Il n'est pas vraiment

[17] Voir à la fin de mon livre "Un dossier sur puissance de la louange".

question, dans le Notre Père, d'obtenir des choses tangibles ou des guérisons.

Lorsque Jésus dit "demandez et vous recevrez", il ajoute ensuite: votre Père donnera "de bonnes choses", ou encore, donnera "l'Esprit" ! C'est que, comme tu l'écris, "la mort n'est pas la fin". Les chrétiens ne devraient pas raisonner comme les "païens" en voyant toujours dans la mort une catastrophe, et dans la maladie un mal.

Hélène Keller, née sourde et aveugle, a écrit: "Je remercie Dieu pour mon infirmité car c'est à travers elle que je l'ai trouvé". Il ne faut certes pas généraliser, et faire du misérabilisme où on se réjouit toujours de la souffrance. Mais pour qui vit profondément dans la foi, l'essentiel n'est pas de se sentir bien ou d'avoir des événements heureux dans ses journées, mais d'entrer de plus en plus dans l'amour de Dieu, en sachant que la vie continue après la mort.

Je l'ai dit, il faut beaucoup de foi.

Une des formes supérieures de la prière est à mon sens la prière de louange, non pas la louange béate, mais la louange "avec notre intelligence"[18].

Alors, ne faut-il jamais faire de prière de demande? Si bien sûr, et avec confiance. Mais en ajoutant, quand on le peut: "Tu sais mieux que moi, Seigneur, ce qui est bon"...

Ce qui nous renvoie quand même à nouveau au fait que Dieu accepte manifestement beaucoup de mal sur terre, et que nous ne pouvons pas le comprendre.

Il reste ce que tu ajoutes: que la prière nous change! Et cela est très important! Car de quoi s'agit-il sur terre pour un chrétien, sinon d'aimer? Et c'est bien la prière qui nous guide et nous soutient pour cela.

Bien à toi.

---

[18] Voir mon livre "Un dossier sur Puissance de la louange".

- 85 -

L'homme et le mal

Cher H,

Tu as raison: il y a du mal dans l'homme, et nous faisons tous du mal aux autres; et souvent à la planète. Ce mal, ce péché en nous, nous l'avons dès notre naissance (personne ne naît ni ne grandit avec un amour parfait en lui), et les circonstances, puis les choix personnels, et l'aide de Dieu, nous amènent à évoluer, tout en restant profondément pécheurs.

Mais pourquoi il y a du mal en l'homme: voilà la question à laquelle Jésus ne donne pas de réponse.

Ce n'est pas une faute initiale, il y a bien longtemps, qui aurait rompu la situation idyllique d'un paradis terrestre de départ où l'homme aurait été, de façon incroyable, "tout amour". Le mal ne vient pas d'une faute de nos ancêtres, dont nous subirions les conséquences.

Le récit de la Genèse ne vise pas à décrire un événement passé (c'est en tout cas l'opinion d'auteurs aussi différents que Paul Ricoeur et le père Martelet); il présente sous forme d'un "mythe" la réalité de la situation de l'homme à toutes les époques.

Et d'ailleurs dans ce récit, le mal ne vient pas de l'homme... il vient du serpent!

Donc, pourrait-on dire, le mal vient "d'en bas": de notre nature de créature tirée du sol. Il y a du mal en l'homme parce que l'homme est un être limité, égoïste; certains diraient: inachevé.

Mais il n'y a pas que ce mal là.

Par exemple il y a la maladie. Et à son sujet, Jésus dit clairement, à propos de l'aveugle né: "Ni lui ni ses parents n'en sont la cause par leur péché" (Evangile de Jean chapitre 9 verset 3).

Enfin il y a aussi d'autres maux sur terre, comme les tremblements de terre, les agressions par des animaux sauvages, etc. !

L'homme ne doit pas croire qu'il est "coupable" du péché de ses parents et ancêtres.

Et il ne doit pas non plus penser qu'il serait capable de ne pas pécher s'il le voulait bien...

Nous sommes dans une situation où il y a le mal, c'est un fait. Que pouvons-nous faire?

Avec Jésus, apprendre à aimer!

Bien à toi,

Philippe L.

- 86 -

Benoît XVI à Ratisbonne

Merci, cher G., pour ta contribution sur le discours de Benoît XVI![19]

Pour ma part je note que le Pape démarre presque bille en tête avec ceci:

"(L'empereur) s'adresse à son interlocuteur d'une manière étonnamment abrupte au sujet de la question centrale du rapport entre religion et contrainte. Il déclare: 'Montre-moi donc ce que Mohammed a apporté de neuf, et alors tu ne trouveras sans doute rien que de mauvais et d'inhumain, par exemple le fait qu'il a prescrit que la foi qu'il prêchait, il fallait la répandre par le glaive'."

Parmi les commentaires que j'ai lus au sujet de cette phrase il y a celui-ci: le Pape a franchi un tabou; il est usuel que les membres des religions parlent entre eux de la paix etc; mais il n'est pas usuel qu'un responsable - en tout cas catholique - parle en public du contenu de la foi d'autres religions.

A mon sens c'est une grande maladresse de l'avoir fait. C'est même assez irresponsable dans le contexte politique actuel. Dire qu'il ne prend pas à son compte cette citation est trop facile; rien ne l'obligeait à citer ce texte!

Et vraiment, cette citation est particulièrement insultante pour les musulmans, tant dans sa première partie - par exemple quand on sait à qui Thomas d'Aquin est redevable de sa connaissance d'Aristote (sans parler aussi, par ailleurs, du progrès des sciences au Moyen Âge), que dans sa deuxième, qui est une interprétation qui ne fait pas l'unanimité autant que je sache.

---

[19] Septembre 2006

Il existe au sein de l'Islam, comme parmi les chrétiens, des gens particulièrement pacifiques.

Amicalement,
PL

Rappel: ECN a pour objectif d'échanger sur la foi chrétienne. Pas de commenter, voire de critiquer, le contenu des autres religions... Merci d'en tenir compte dans vos propositions de contributions!

———

- 87 -

"Qui es-tu?"

Un participant d'ECN a publié le texte suivant:

Dans son livre "La construction de soi, un usage de la philosophie" (éditions du Seuil, 2006), le philosophe Alexandre Jollien introduit la question, "qui es-tu?" par une parabole tirée de la philosophie hindoue.

"Une femme meurt et arrive auprès du Maître de l'univers. Son divin interlocuteur lui demande: 'Qui es-tu?' Et la défunte de répondre: 'Je suis la femme de l'épicier.' Dieu, fin psychologue, renchérit: 'Qui es-tu?' La fidèle épouse en vient à dire qu'elle s'est mariée avec M.Y.

Dieu s'en moque et, sans relâche, poursuit son interrogation. La dame, après avoir successivement décliné sa profession, le nombre de ses enfants, son âge, ses loisirs, les hauts faits de sa vie, ne parvenant guère à se définir, demeure muette."

"Ils dirent à Jean-Baptiste: 'Qui es-tu?' Pour que nous apportions une réponse à ceux qui nous ont envoyés. (Jean 1,22)

"Qui es-tu?"

Telle est la question que cet interlocuteur céleste pose à chacun!

———

J'ai beaucoup aimé ta contribution, cher F., car il me semble qu'elle ouvre la porte à un jeu qui est plus qu'un jeu, à des réponses diverses, multiples, que chacun de nous pourrait faire, et qui nous enrichiraient.

Par exemple est-ce que Saint Paul, lui qui dit "Ce n'est plus moi qui vis, c'est le Christ qui vit en moi" oserait répondre à Dieu "Je suis le Christ" ?? :-)

Ce qui rejoint d'ailleurs la fin de l'histoire telle qu'on la raconte parfois: la "bonne réponse" serait "Je suis TOI". Et vraiment non, je ne me vois pas dire cela à Dieu...

On dit qu'au début du récit d'Abraham, quand Dieu lui dit de quitter son pays, l'expression utilisée est "Va vers toi!"

Oui, il s'agit d'aller vers soi, de se trouver! Et on peut comprendre dans le même esprit la phrase de la Genèse après le péché originel. Dieu demande à l'homme: "Où es-tu?"

Adam, es-tu "hors de toi" comme Saint Augustin reconnaît l'avoir été:
"Tu étais en moi, et moi, j'étais hors de moi".

Voilà quelques uns des échos que cette "simple" question éveille en moi (l'éveil, encore une jolie notion!).

On peut aussi conjuguer la question au passé et au futur: qui as-tu été? Qui vas-tu devenir?

Et enfin penser à la réponse d'Elie:
"J'ai un amour brûlant pour toi Seigneur!"
(1 Rois 19,14 - trad. "Parole de Vie")

Amicalement,
Ph L

PS: Dans l'Exode (3,14), Dieu se révèle à Moïse en disant "Je serai qui je serai..." (trad. Nouvelle Bible Segond).

- 88 -

Christianisme et sexualité

Cher E,

Tu écris:

"Dans la société actuelle ce qui apparaît anormal est qu'un homme puisse ne pas avoir de sexualité."

Nous avons tous une sexualité! Refoulée ou pas! Pour moi c'est comme si tu disais: "il apparaît anormal qu'un homme puisse ne pas avoir de cerveau"... :-) Ce que nous faisons de cette sexualité est autre chose. Se marier est la façon la plus "normale" de développer (oui, je dis développer!) cet aspect de nous-même, qui est *bon*.

Comprendre que la sexualité est une bonne et belle chose, que le désir pour le sexe opposé est bon, il faut souvent des années pour y arriver lorsqu'on a été formé dans des schémas négatifs par rapport à cette belle dimension humaine.

C'est l'occasion de faire de la pub pour le livre de mon ami Olivier Florant, membre d'ECN: "Ne gâchez pas votre plaisir, il est sacré" (Presses de la Renaissance)...

Ce que tu cites du théologien Vladimir Lossky ne me convainc pas:

"C'est par la suite du péché originel qu'Adam et Ève devinrent deux natures séparées, deux êtres individuels ayant entre eux des rapports extérieurs - les désirs de la femme se portant sur son mari et la domination du mari s'exerçant sur la femme, selon la parole de la Genèse (3,16)"

D'une part ce n'est pas bibliquement fondé, ce qui est quand même ennuyeux: d'où tire-t-il qu'Adam et Eve n'avaient pas deux natures séparées dès le départ? N'étaient pas "deux êtres individuels"?

Et d'autre part je fais partie de ceux qui pensent, avec beaucoup de théologiens, que le péché originel n'est pas un événement historique qui aurait causé la situation actuelle, mais la description de la situation de tout homme et toute femme: "nous sommes pécheurs". [20]

Tu parles ensuite de nos pulsions, et de "notre nature déchue".

Les pulsions sont parfaitement normales, naturelles au bon sens du mot - j'ai parlé du désir plus haut. Nous sommes des hommes et femmes de chair et de sang. La situation d'avant la chute n'existe pas. Jésus nous propose de monter, d'entrer peu à peu dans l'amour, à partir de ce que nous sommes.

La notion de "nature déchue" est une image qu'il faudrait abandonner: elle est liée au récit du péché "des origines" qui n'a presque certainement pas existé historiquement.

Oui, nous avons une nature pécheresse, mais le mot "déchu" n'apporte rien, sauf de rêver à je ne sais quel paradis perdu. Ce n'est pas un paradis perdu que Jésus nous propose, mais un amour concret, quotidien, allant jusqu'à la croix qui est amour.

Dire que le désir est "péché", c'est comme dire qu'avoir envie d'une pâtisserie qu'on voit dans une vitrine est un péché! Franchement je ne crois pas que ce genre d'attitude tout à fait naturelle soit à affubler du mot "péché".

(Il y a quelques années seulement, cette phrase que je viens d'écrire m'aurait choqué! Il m'a fallu du temps pour accepter le désir, et m'accepter moi-même. A 60 ans passés!)

Deux phrases de l'Ecriture pour terminer:

"Si notre coeur nous accuse, Dieu est plus grand que notre coeur" (1 Jean 3,20)

"Rien ne peut nous séparer de l'amour du Christ" (Romains 8,39).

../..

[20] Voir "Le fait Jésus" pp. 61 et suivantes.

PS: Je découvre seulement aujourd'hui le message de Carême du Pape[21] :

Sur Eros et Agapè il y a dès le début une définition très forte:

"Le terme agapè, que l'on trouve très souvent dans le Nouveau Testament, indique l'amour désintéressé de celui qui recherche exclusivement le bien d'autrui; le mot eros, quant à lui, désigne l'amour de celui qui désire posséder ce qui lui manque et aspire à l'union avec l'aimé."

Et il poursuit, comme dans l'encyclique, en disant qu'il y a de l'eros en Dieu!

---

21 http://www.vatican.va/holy_father/benedict_xvi/messages/lent/documents/hf_ben-xvi_mes_20061121_lent-2007_fr.html

- 89 -

Marie dans l'Eglise

Cher C.,

Tu écris dans le dernier ECN:

"Je voudrais échanger sur le rôle actuel de Marie dans l'église.

C'est un peu difficile de dire quelque chose, car ta question est très générale.

D'abord il y a "les églises" et pas seulement l'Eglise: cette liste de discussion est oecuménique.

Ensuite, au sein de l'Eglise catholique, il y a différentes attitudes, les uns très mariaux dans l'expression de leur foi, d'autres plus réservés, ce qui n'empêche pas éventuellement que Marie ait une place importante dans leur coeur.

Le Concile Vatican 2 a refusé de donner à Marie le titre de "médiatrice de toute grâce".

Et je m'étonne que dans son encyclique "Dieu est amour", que j'aime bien par ailleurs, Benoît XVI écrive à la fin, en s'adressant à Marie:

"Tu es devenue la source de la bonté qui jaillit de Dieu"

Comme si toute grâce passait par Marie. Ou alors fait-il allusion à l'incarnation?

Pour ma part Marie a depuis cette année encore plus d'importance pour moi. Mais ma foi et ma spiritualité restent fondamentalement trinitaires. Marie est pour moi "la plus sainte d'entre nous", mais reste une créature, pas le Créateur.

Cela dit, dans ma vision très large, où il y a d'autres espèces pensantes que nous dans l'Univers, Jésus (qui est "ce que nous pouvons voir de Dieu sous la forme d'un homme"), et le Père, sont le Dieu de "toutes les espèces pensantes", alors que Marie est propre à notre terre. Elle est en quelque sorte la Reine de la terre...

- 90 -

A propos du mariage

Cher A.,

Tu cites au début de ta contribution la phrase "*Eh bien, moi je vous dis de ne pas faire de serment du tout*", comme si elle s'appliquait au mariage. Jésus ne visait pas ce genre de situation! Il n'a jamais dit: "Moi je vous dis de ne pas vous engager du tout".

Car l'engagement libre de quelqu'un, que ce soit au service d'un idéal ou vis à vis d'un conjoint, reste quelque chose de beau!

Pour moi l'amour conjugal est le modèle de l'amour, comme le dit d'ailleurs Saint Paul.

Il y a certes l'attirance, qui déjà fait rimer "amour" avec "toujours", mais il y a aussi tout ce travail - sur soi-même et en couple - qui fait que l'on "choisit d'aimer" (mon expression favorite); que l'on sait voir en l'autre tout ce qui est beau, et qu'on aime l'autre malgré ses défauts - éventuels !!! :-)

C'est le modèle de l'amour; car nous pouvons apprendre à aimer toute personne ainsi: le mariage est une école pour apprendre à aimer.

Aimer comme le Christ a aimé: même à travers la ou les croix éventuelles, et jusqu'à la mort. Ce n'est peut-être pas a priori un programme très réjouissant, mais quand on découvre, peu à peu, les richesses de "l'amour selon Jésus", on ne voudrait plus vivre autrement!

Amitiés,
Philippe

- 91 -

Sur l'homosexualité

Merci, X., d'aborder ce sujet difficilc. Voici quelques premières réflexions personnelles.

D'abord je pense qu'il y a des tendances homosexuelles en chacun de nous, conscientes ou pas. Il m'est arrivé au moins deux fois dans ma vie de me rendre compte, après coup, que j'avais éprouvé de l'attirance vers quelqu'un - dans les deux cas il s'agissait de quelqu'un que je n'avais plus d'occasion de revoir. C'est en analysant ce que j'avais ressenti que j'ai fini par conclure que cela avait été cela. Rien que de très noble et simple, à vrai dire; mais au moins dans un cas, comme le début d'un engrenage. C'était il y a fort longtemps!

Si quelqu'un se trouve aller jusqu'à en quelque sorte être "pris" par une telle relation, que dire? Et est-ce qu'une telle relation est "naturelle"? Sur le deuxième point - mais je comprendrais que beaucoup de membres d'ECN ne soient pas d'accord - je dirais facilement que oui! C'est "naturel", au moins pour un certain nombre de gens.

C'est naturel, car notre nature nous porte à toutes sortes de choses. Mais, oui, je pense que ce n'est pas l'attitude idéale.

Si j'ai tendance à manger trop de gâteaux, ce n'est pas non plus l'attitude idéale recommandée par le Christ. Mais nous ne sommes pas des êtres idéaux.

Alors, péché? La difficulté est que beaucoup de chrétiens (et de prêtres) raisonnent par rapport au péché comme les anciens manuels de confession, avec des listes de péchés. Il y a ce qui est "mal" et ce qui est "bien", et évidemment il faut faire ce qui est bien...

Je recommande vivement le livre de Marc Oraison "Une morale pour notre temps"; et j'ai consacré deux pages au péché dans le livre "Le fait Jésus"[22].

Nous sommes tous remplis de non-amour, ou plutôt notre amour - au sens que le Christ donne à ce mot - est limité. Donc nous sommes égoïstes, nous conduisons notre voiture sans penser à tous les risques, etc.

Attacher plus d'importance à une des attitudes "imparfaites" (un "péché") qu'à une autre est certainement pharisien.

La Bible condamne certes l'homosexualité comme un péché; mais elle condamne tout autant l'adultère, et bien d'autres choses. Voir par exemple Lévitique chapitre 20, versets 9-10 et 13-15. Tous à mort!

Je pense que l'homosexualité a été historiquement combattue notamment parce qu'elle met en cause le modèle familial; et cela reste vrai.

Cela dit la sexualité met en oeuvre des pulsions très puissantes, et quand on s'est engagé dans une certaine voie, il est difficile de l'abandonner, à supposer qu'on le veuille.

Ce qui me gêne par contre, c'est quand des homosexuels parlent de leur "fierté" d'être homosexuels. C'est peut-être nécessaire pour eux, pour essayer de sortir de la situation de "complexe" ou de honte où on continue presque automatiquement à les placer.

Je sais d'autre part qu'il y a des gens qui disent que c'est aussi "normal" que l'hétérosexualité, et qu'on ne choisit pas son orientation. Il me semble que c'est plus subtil; mais d'autres seront mieux placés pour en parler.

Cela, ce sont des réflexions générales. Ta question porte sur un cas concret. Et là, un amour véritable et ouvert envers les

---

[22] pp 30 à 32.

personnes, et la prière pour le bien de ces personnes, sans a priori, sont les pistes les plus sûres me semble-t-il.

Et, s'ils sont chrétiens, à voir comment trouver une communauté où on ne les juge pas, et où ils sont accueillis exactement comme tous les autres participants.

- 92 -

La volonté de Dieu

"La volonté de celui qui m'a envoyé,
c'est que je ne perde aucun de ceux qu'il m'a donnés,
mais que je les ressuscite au dernier jour".
(Evangile de Jean 6,39-40)

Merci, B., de ta contribution qui soulève des questions difficiles.

Tu demandes: "Qu'entendre par "volonté de Dieu"? Et est-ce que cette volonté supprime notre liberté?"

(Ouh là là, que cette question est difficile!).

Tu emploies le joli mot de "souhait" de Dieu.

Mais évidemment, si Dieu est - comme nous le croyons - le créateur de l'Univers (même si nous ne comprenons pas la présence du mal dans le monde), alors il a très probablement un "plan", qui est plus qu'un simple souhait.

Le "commandement" de Jésus exprime la volonté de son Père, qui est que nous nous aimions les uns les autres (Jean 13,34).

Il s'agit donc de choisir d'aimer, de découvrir peu à peu que nous pouvons aimer.

En ce sens le plan de Dieu en nous ressemble un peu à ce qu'est la croissance d'un petit être vivant, qui découvre peu à peu ses potentialités; c'est là toute la vie spirituelle: entrer dans l'amour.

Cela ne répond pas au problème du mal, sauf que cela peut nous aider à le supporter.

Mais cette volonté, ce plan, est comme un appel, un chemin de lumière qui nous est proposé.

(J'ai conscience de ne pas avoir bien répondu !)

- 93 -

La foi, la prière

Chère N.,

Tu poses une question difficile. Je vois que personne ne t'a répondu, alors je vais te donner ma façon de voir les choses...

Concernant l'efficacité de la prière, tu te demandes en effet comment comprendre ces phrases:
"*Tout ce que vous demanderez avec foi, croyez que vous l'obtiendrez et cela vous sera donné.*"
"*Tout ce que vous demanderez en mon nom je le ferai.*" Etc.

La première phrase appelle une réponse assez évidente, trop simple même: c'est que nous n'avons pas assez la foi!
La deuxième dit bien que l'on demande "au nom de Jésus", c'est à dire ce que lui même demanderait; et c'est parfois "Que ta volonté soit faite et non la mienne!" D'ailleurs Jésus dit à un autre endroit: "Combien plus mon Père donnera-t-il *l'Esprit* à ceux qui le demandent".

Le catéchisme protestant d'Antoine Nouis rappelle pour sa part une prière de Saint Paul non exaucée: "Par trois fois j'ai demandé au Seigneur qu'il l'éloigne de moi".
Il s'agit de "l'écharde dans la chair", et Dieu lui a répondu non!

Donc je n'attends pas l'exaucement de mes prières: je prie pour que la volonté du Seigneur se fasse: il sait mieux que moi ce qui est bon.
S'unir au coeur de Dieu. Et se réjouir de vivre dans son amour.

- 94 -

Ecouter...

De M.-H. C. :

Une bonne lecture, pour nous aider en ce début de Carême:

Madeleine Delbrel - "Alcide, Guide simple pour simples chrétiens" - Livre de Vie, Seuil.

Je pique une phrase parmi celles qui peuvent accompagner toute une journée:

Du silence.
"N'essaie pas de te taire, mais écoute."
(Alcide, un jour qu'il avait des choses intéressantes à dire)

Il m'arrive souvent d'avoir "des choses intéressantes à dire". Si elles ne sont pas nécessaires, je peux choisir de me taire par ascèse. Ca ne marche pas forcément.

Je peux aussi le faire pour écouter ce que les autres auraient aussi d'intéressant à dire. Beaucoup plus efficace, et chrétien.

Merci, Marie-H.!

Dans la ligne de ce que nous disait un prêtre le Mercredi des Cendres, cette écoute peut s'accompagner d'un sourire en quelque sorte intérieur: présence en nous du Seigneur, louange silencieuse.

Index général

Les renvois désignent les chapitres et non les pages

Index des références bibliques

(Mention de personnages, livres ou lieux bibliques)

Index des noms propres

TABLE DES MATIÈRES RÉSUMÉE

La table des matières détaillée est en page 3

Ce livre - comme la plupart de mes autres livres - est aussi disponible en format Kindle ou ePub.